北语对外汉语精版教材

初级汉语课本
CHINESE FOR BEGINNERS

汉字读写练习
CHINESE CHARACTER WORKBOOK

主编　鲁健骥

编写　刘岚云　鲁健骥

北京语言大学出版社

（京）新登字 157 号

图书在版编目（CIP）数据

初级汉语课本·汉字读写练习/鲁健骥主编.
－北京：北京语言大学出版社，2004 重印
ISBN 7－5619－1139－4

Ⅰ. 初…
Ⅱ. 鲁…
Ⅲ. ①汉语－阅读教学－对外汉语教学－教学参考资料
②汉语－写作－对外汉语教学－教学参考资料
Ⅳ. H195.4

中国版本图书馆 CIP 数据核字（2002）第 098073 号

书　　　名：初级汉语课本·汉字读写练习
责 任 印 制：汪学发

出 版 发 行：北京语言大学出版社
社　　　址：北京市海淀区学院路 15 号　邮政编码 100083
网　　　址：http：//www. blcup. com
发行部电话：82303648　82303591
E－mail：fxb@ blcu. edu. cn
印　　　刷：北京北林印刷厂
经　　　销：全国新华书店

版　　　次：2003 年 3 月第 1 版　2004 年 9 月第 2 次印刷
开　　　本：787 毫米×1092 毫米　1/16　印张：17.75
字　　　数：285 千字　印数：5001－10000 册
书　　　号：ISBN 7－5619－1139－4/H·02132
　　　　　　2003 DW 0090
定　　　价：36.00 元

凡有印装质量问题本社负责调换，电话 82303590。

说　明

　　本书是与《初级汉语课本》配套的教材,分为两大部分。第一部分包括汉字知识、生字表、阅读、练习等项目;第二部分为第一课到第三十课的书写练习,包括描写、临写两项。现对第一部分各项分别说明如下:

　　一、汉字知识:汉字历来是外国人学习汉语的困难所在。汉字教学的任务,在我们看来,就是帮助学生克服学习汉字的困难,这样,就不仅应该教学生模仿,还应该让学生了解汉字的结构和书写规律,使学生既知其然,又知其所以然,在理解的基础上学习和掌握汉字。"汉字知识"这一项目在对汉字作了简单介绍之后,分别对汉字的笔画、笔顺、结构、偏旁等作了说明。随后又介绍了如何利用笔画和部首查字典、词典的方法。希望"汉字知识"对学生掌握汉字的书写规律,培养学生认读和阅读能力,能够有所帮助。

　　二、生字表:表中所收汉字,都给出书写笔顺。有些复杂但常用的汉字,放到后期教;复杂而又不常用的汉字则不教。

　　三、阅读:阅读一般分为两部分,一部分是结合某些词语、结构的用法出的词组或句子;一部分是成段的阅读材料。

　　四、练习:练习主要是帮助学生进一步掌握汉字的书写规律,熟悉偏旁、辨析形近字、同音字。

编　者

Compilers' Note

Chinese Character Workbook is a companion to *Chinese for Beginners*. It consists of two parts, the first of which includes: Notes on Chinese characters, Table of new characters, Reading practice and Exercises and the second part deals with the writing of characters: tracing and copying. Here is a brief description of each section in the first part.

1. Notes on Chinese characters: Chinese characters constitute a major difficulty for foreigners in learning Chinese. In our opinion, the task of character teaching is none other than to provide learners with help to overcome this difficulty. To achieve this end, we should not only teach the learner how to imitate the strokes, but also help them know the structure and rules of writing. That is to say, the learner should know "what" as well as "how and why", so that they can learn and grasp characters on the basis of understanding. In this section, we have explained, after a brief introduction to characters in general, the way to write the strokes, the order of writing the strokes in a character, the different structures and the components of characters. In the later lessons, the way to consult a Chinese dictionary according to the strokes and *radicals*. It is our hope that this section will be of some help for the learner to master the writing rules and to recognize and read characters.

2. Table of new characters: In this section, each entry is given along with the order of strokes in writing them. Some commonly used characters are taught in the later stage only because they are complicated. Those which are both complicated and uncommonly used are not taught.

3. Reading practice: There are usually two subsections: 1) phrases and sentences illustrating the usage of some words and constructions, and 2) passages and stories.

4. Exercises: This section aims at helping the learner have a better command of the rules in writing characters, get more familiar with the different *sides* and discriminate characters that are easily confused in form and those with the same pronunciation.

Compilers

目　　录
CONTENTS

第 一 部 分
PART I

第一课　Lesson 1

一、汉字知识　Notes on Chinese characters：

1. 汉字的构成　The construction of Chinese characters：

汉字作为记录汉语的通行文字，已经有三千多年的历史了。

汉字的字形是方的，所以也称为"方块字"。"方块字"不同于拼音文字。拼音文字是由字母拼写而成的，方块字则是由不同的笔画组成的。

汉字的笔画有二三十个，但最基本的只有八个，其他笔画都是由这八种笔画派生出来的。一个字里边包括了若干个笔画，先写哪一笔，后写哪一笔，都有一定的规律。所以掌握了基本笔画和笔顺规则，写汉字就不困难了。

从结构上看，汉字又可以分成独体字和合体字两种。有些汉字的笔画结合得很紧，不可分割，这种字叫做独体字。但是大多数汉字是由两个或两个以上的结构单位组成的，这种字就叫做合体字。组成合体字的结构单位，叫做偏旁，有些偏旁在字典或词典中称为部首。了解汉字的偏旁（部首）是学会查汉字字典的关键。

由此可见，汉字是有规律可循的，掌握这些规律对阅读和书写汉字很有帮助。

Chinese characters which are now in current use, have a history of over 3,000 years. They are also known as "square characters" because they are square-shaped.

Different from the alphabetic script which is spelled out in letters, Chinese characters are written in various strokes.

Out of the 30 odd strokes, only 8 are basic ones and all the others are their variants. The strokes in a character are written according to some fixed rules. Once the basic strokes and the rules of stroke-order are grasped, the writing of characters will become easy.

Structurally characters are divided into two categories: the single-component ones and the compound ones. In the single-component characters, the strokes are written or arranged as a compact integral, but most of the characters are compound ones which are composed of two or more components or *sides*. Some of the *sides* are used as *radicals* in Chinese dictionaries. So it is of key importance to know the *sides* or *radicals* before you learn how to consult a Chinese dictionary.

3

It can be seen that there are rules for the construction of characters and it is helpful to master these rules in learning how to read and write characters.

2. 汉字的笔画(一) Strokes (1):

基本笔画　Basic strokes:

一(→)　横 héng　笔只能从左向右运动,不能从右向左写。

The horizontal stroke is written from left to right and it can not be written otherwise.

丿(↙)　撇 piě　笔要从右上向左下运动,如果由左下向右上运动,就是另一种笔画了。

The down stroke to the left is written from top-right to bottom-left. If it is written from bottom-left to the top-right, it becomes another stroke. (See Lesson 3.)

乀(↘)　捺 nà　笔要从左上向右下运动,不能从右下向左上运动。

The down stroke to the right is written from top-left to bottom-right. It can not be written otherwise.

丶(↘)　点 diǎn　笔从上向右下(或左下)顿。

The dot is written from top to bottom-right(or to bottom-left).

二、生字表　Table of new characters:

1	一	一		
2	二	一	二	
3	三	一	二	三
4	六	丶	亠	六	六
5	八	丿	八	
6	大	一	大	大

三、认读　Read the following:

一　二　三　六　八　大

4

四、练习　Exercises：

1. 写笔画：

Write the strokes：

一					
ノ					
丶					
丶					

2. 根据拼音写出汉字：

Give the characters for the following words：

liù （　　　　） 　　　　 èr （　　　　）

bā （　　　　） 　　　　 yī （　　　　）

sān （　　　　） 　　　　 dà （　　　　）

第二课　Lesson 2

一、汉字知识　Notes on Chinese characters：

汉字的笔画（二）Strokes（2）：

基本笔画　Basic strokes：

丨（↓）　竖 shù　笔要从上向下运动，不能从下向上运动。

The vertical stroke is written from top downward and can not be otherwise.

一（フ）　钩 gōu　有的笔画到头以后，转向另一个方向，然后轻快地提起笔，这就成了一个钩。这种笔画有：

Some strokes have a hook. The hook is written by a quick lifting of the pen（or Chinese brush）. Following are strokes with hooks：

一	横钩	The horizontal with a hook
亅	竖钩	The vertical with a hook
)	弯钩	A bending stroke with a hook
㇂	斜钩	A slant stroke with a hook
㇃	平钩	Level bending with a hook

二、生字表　Table of new characters：

1	你	亻（ノ　亻）	
		尔（ノ　ム　竹　尓　尔）	ěr you（archaic）
2	您	你	
		心（丶　心　心　心）	xīn heart
3	好	女（く　女　女）	nǚ female
		子（ㄱ　了　子）	zǐ person

6

三、认读 Read the following：

你好！　　您好！

四、练习 Exercises：

1. 写笔画：

Write the strokes：

丨					
一					
亅					
)					
ㄥ					

2. 给下列汉字注音：

Transcribe the following characters：

1）你（　　　）
2）您（　　　）
3）好（　　　）

3. 写出包括下列笔画的汉字（选做）：

Give characters containing the following strokes（optional）：

1）、：
2）一：
3）丨：
4）ノ：
5）一：
6））：
7）ㄥ：

第三课　Lesson 3

一、汉字知识　Notes on Chinese characters：

汉字的笔画（三）Strokes（3）：

基本笔画　Basic strokes：

˙（↗）　提 tí　　笔从左下向右上运动。

The upward stroke to the right is written from bottom-left to top-right.

¬（﹁）　折 zhé

└（L）　　　　先写横，到右端折向下写竖，或先写竖，到下端再向右写横。这类笔画都要一笔完成。

Strokes with a turn：1）the horizontal with a downward turn；2）the vertical with a horizontal turn to the right.

联合笔画　Combined strokes：

⁊　横折钩　héngzhégōu　The horizontal stroke with a downward turn and a hook

L　竖弯钩　shùwāngōu　The vertical stroke with a right turn and a hook

⁊　横撇　héngpiě　The horizontal stroke combined with a down stroke to the left

二、生字表　Table of new characters：

1	我	˙	⁻	手	手	我	我	我
2	五	一	Ｔ	五	五			
3	他	亻						
		也（⁊　也　也）						yě
4	她	女						
		也						

5	们	亻	
		门（丶 亅 门）	mén

三、认读　Read the following：

（一）

你们　我们　他们　她们

（二）

A：你们好！

B：您好！（你好！）

C：

四、练习　Exercises：

1. 写笔画：

Write the strokes：

丶					
刁					
㇇					
㇄					
乀					
乛					

2. 根据拼音写汉字：

Give the charactes for the following words：

1) tāmen　　（　　　　　　）

2) wǒmen　　（　　　　　　）

3) nǐmen　　（　　　　　　）

4) nín hǎo　　（　　　　　　）

3. 数一数"我"字有几笔,"我"字有三条斜线,它们都是撇吗?

Count and tell how many strokes there are in 我 . Are all the three slant strokes down strokes to the left?

第 四 课　Lesson 4

一、汉字知识　Notes on Chinese characters：

笔顺规则（一）Rules for stroke-order(1)：

绝大多数汉字都有两个以上的笔画。许多笔画在一起,写的时候,总要有先有后。笔画的先后顺序是有规律的,我们叫它笔顺规则。

Most characters have more than two strokes. To write them, there must be a fixed order to follow, and there are some rules for the order of strokes：

先横后竖:先写横和由横组成的笔画,再写竖、撇、捺,如：

The horizontal stroke before the vertical：The horizontal stroke and strokes containing a horizontal should be written before the vertical or the down strokes either to the right or left. Examples：

十：一　十

大：一　ナ　大

先撇后捺:撇和捺相交或相连时,先写撇,后写捺,如：

The down stroke to the left before that to the right：When the down stroke to the right crosses or touches that to the left, the former is written before the latter. Examples：

人：丿　人

友：ナ　（一　ナ）

又　（フ　又）

二、生字表　Table of new characters：

1	工	一　丁　工
2	人	丿　人
3	夫	一　二　丰　夫

11

4	朋	月（丿 刀 月 月）	yuè flesh (as *radical*), moon
		月	
5	友	一 ナ 方 友	
6	妈	女	
		马（乛 马 马）	mǎ
7	爸	父（′ ′′ 夕 父）	fù father
		巴（乛 ⊓ ⊓ 巴）	bā
8	吗	口（丨 口 口）	kǒu mouth
		马	
9	谁	讠	(言) yán speech
		隹（′ 亻 亻 仁 仨 仹 隹 隹）	
10	这	文（` 二 ナ 文）	
		辶（` 辶 辶）	
11	是	日（丨 口 日 日）	rì
		疋（一 丁 下 开 疋）	

三、阅读　Read the following：

（一）

A：她是谁？

B：她是我妈妈。他是谁？

A：他是我朋友。

（二）

A：他是你爸爸吗？

B：是，这是你 mèimei（younger sister）吗？

A：不（no），她是我朋友。

（三）

我爸爸是大夫。

她妈妈是 lǎoshī（teacher）。

他朋友是工人。

四、练习　Exercises：

1. 写笔画：

Write the strokes：

乚					
ㄣ					
乙					

2. 用学过的汉字填空：

Fill in the blanks with characters you have learnt：

1）_____是_____吗？

2）他_____是_____吗？

3）我_____是您_____。

4）这是_____ _____。

5）这是_____ _____。

3. 从括号里选出一个适当的字填在下面的空中：

Choose one from each pair of characters to fill in the blank：

1）这是我 mèimei，_____是大夫。 （他，她）

2）Zhāng lǎoshī，_____是我 dìdi（younger brother）。

（他，她）

3）A：Lǎoshī，_____好！ （你，您）

B：_____好！ （你，您）

13

第五课 Lesson 5

一、汉字知识 Notes on Chinese characters:

笔顺规则(二) Rules for stroke-order (2):

先上后下:先写上边的笔画,再写下边的笔画,如:

From top to bottom: The strokes at the top should be written before those at the bottom. Examples:

六：`丶 二 六 六`

画：`一 画 画`

先左后右:先写左边的笔画,再写右边的笔画,如:

From left to right: The strokes on the left should be written before those on the right. Examples:

八：`丿 八`

他：`亻 他`

先外后内:从左上方两面包围或左上右三面包围的结构,要先写外边,后写里面:如:

The containing strokes before the contained ones: When a component contains another on the top-left or on the left, top and right, the containing ones should be written before the contained ones. Examples:

那：`刁 月 那`

同：`丨 冂 同`

但是,从左下方包围或左下右三面包围的结构,要先内后外,而不是先外后内,如:

However, if a component contains another on the bottom-left or on the left, bottom and right, the contained ones should be written before the containing ones. Examples:

这：`文 这`

画：`一 画 画`

二、生字表 Table of new characters:

| 1 | 上 | 丨 卜 上 | | |

14

		口 (丶 冂 口)		
2	哪	那	甹 (丁 刁 ヨ 甹)	nà
			阝 (丂 阝)	
3	儿	丿 儿		
4	宿	宀 (丶 丷 宀)		
		佰	亻	
			百 (一 丆 百)	bǎi
5	舍	人 (丿 人)		
		舌 (一 二 千 舌)		
6	图	囗 (丨 冂 图 图)		
		冬 (丿 夂 久 冬 冬)		
7	书	乛 乛 书 书		
8	馆	饣 (丿 𠂆 饣)		
		官 (丶 丷 宀 宀 宁 官 官)		
9	食	人 (丿 人)		
		良 (丶 ㇆ ㇕ ㇕ 𠃌 良 良)		
10	堂	丷 (丶 丷 丷 丷 丷)		
		口		
		Chang chane, often		
		土 (一 十 土)	tǔ earth	
11	也	也		

| 12 | 常 | 尚

巾（ 丶　 冂　 巾 ） | | | jīn |

三、阅读　**Read the following**：

（一）

A：你上哪儿？

B：我上宿舍。您也上宿舍吗？

A：我上图书馆。

（二）

A：
　　您好，张老师！
B：

C：(To A)他是你朋友吗？

A：他是我朋友。老师，您上哪儿？

C：我上食堂。

A：
　　我们也上食堂。
B：

四、练习　**Exercises**：

1. 写笔画：

Write the strokes：

乛					
㇏					
㇄					
了					

2. 用汉字写出下面的问题，并用汉字回答：

Write the questions in characters and give the answers：

1）Nǐ māma shàng nǎr?

16

2）Nǐ péngyou yě shì dàifu?

3）Tā shàng túshūguǎn ma?

3. 写下面的字，要用哪些笔画规则？（选做）

What are the rules to write the following characters?（optional）

食　你　六　这　朋

第 六 课　Lesson 6

一、汉字知识　Notes on Chinese characters：

汉字的笔画(四)　Strokes(4)：

汉字的笔画大约有三十多种,大部分已在前五课学到了,现将已学过的笔画归纳如下:

We have since learnt most of the 30 odd strokes in the previous 5 lessons and now we sum up them briefly as under:

笔　画 Strokes	名　称 Names	例　字 Examples	笔　画 Strokes	名　称 Names	例　字 Examples
一	横 héng	二	㇄	竖折 shùzhé	画
㇆	横折 héngzhé	吗	㇗	竖提 shùtí	纸
丨	竖 shù	不	㇛	撇折 piězhé	么
丿	撇 piě	八	㇙	撇点 piědiǎn	好
㇏	捺 nà	八	㇇	横撇 héngpiě	对
、	点 diǎn	你	㇅	横折钩 héngzhégōu	们
㇀	提 tí	报	㇊	横折提 héngzhétí	谁
㇇	横钩 hénggōu	你	乙	横折弯钩 héngzhéwāngōu	杂
亅	竖钩 shùgōu	对	㇋	横折弯钩 héngzhéwāngōu	那
㇂	斜钩 xiégōu	我	㇌	横折弯撇 héngzhéwānpiě	这
㇁	平钩 pínggōu	志	㇄	竖弯钩 shùwāngōu	他
㇉	弯钩 wāngōu	子	㇅	竖折折钩 shùzhézhégōu	吗

在上述笔画中,最基本的只有下列八种:

Out of the above strokes, the following 8 are the basic ones:

一 héng   丨 shù

丿 piě   乀 nà

丶 diǎn   ㇀ tí

乛 gōu   𠃌 zhé

汉字的笔画,不论在哪个字里,横(一)都不能由右向左,竖(丨)都不能由下向上,撇(丿)都不能由左下向右上,捺(乀)都不能由右下向左上,这是必须牢记的。联合的笔画,写法跟基本笔画是一致的。

Note that the horizontal stroke is by no means written from right to left, the vertical stroke is never written from bottom to top, the down stroke to the right should not be written from bottom-left to top-right and the down stroke to the left should not be written from bottom right to top-left. The combined strokes are written in the same way as the basic ones.

掌握并且写熟这些笔画,是写好汉字的第一步。

The first step to good handwriting of characters is to grasp the strokes.

汉字的书写(一): The Hand-writing of Chinese characters(1):

汉字笔画基本上是直线条的,这与曲线条的拉丁字母不同,但是直线条的汉字笔画并不像一堆堆直直的小棍子,这是因为中国自古就用毛笔书写。铅笔、钢笔和圆珠笔直到近代才普遍地使用起来。毛笔的笔头是用鼬或羊的毛制成的。毛笔写起字来,每一笔画都有粗有细,显得美观而有力。写得好的毛笔字也是好的艺术品。现在我们通常都用钢笔或圆珠笔,但在书写时,仍十分注意笔画的轻、重、粗、细。

The strokes of Chinese characters are roughly straight and that is different from Latin alphabet. However, the strokes are not as straight and rigid as sticks, because they are written with a Chinese brush. Only in recent times, did it become more and more popular to write with pens, pencils or ball-pointed pens. The Chinese brush with which the characters are written are made of weasel or sheep hair. Strokes written with a Chinese brush are not evenly of the same thickness and so they look nice and vigorous. Beautiful handwriting is an artistic creation. We should pay attention to the strength we use and proper, thickness of each stroke, though we use pens or ball-pointed pens to write characters nowadays.

二、生字表　**Table of new characters：**

1	七	一 七
2	九	丿 九
3	十	一 十
4	不	一 丆 丆 不
5	地	土 也
6	方	、 亠 宁 方
7	画	一 田 (丶 冂 冂 田 田) 凵 (乚 凵)
8	报	扌 (一 十 扌) 殳 (⁊ 尸 尸 殳)
9	纸	纟 (乙 纟 纟) 氏 (亠 𠂉 氏 氏)
10	什	亻 十
11	么	丿 厶 (乚 厶)
12	那	那
13	买	乛 头 (丶 丷 头 头 头)
14	回	丨 冂 回 回

三、阅读　Read the following：

（一）

A：这是什么？

B：这是报纸。

A：这是谁 de（possessive particle）报纸？

B：这是我 de 报纸。

（二）

A：这是什么？

B：这是画报。

A：这是你 de 画报吗？

B：不是。

A：这是老师(lǎoshī)de 画报吗？

B：不知道(zhīdào)。

C：这不是老师(lǎoshī)de 画报，这是我朋友 de 画报。

（三）

A：你上哪儿？

B：我上那个地方，买报纸。

A：我也上那儿，买画报。

四、练习　Exercises：

1. 写笔画：

Write the strokes：

乙					
乀					

2. 在括号里填写含有下列字素的字：

Write characters in the brackets containing the following components：

1) 女　　　（　　　）（　　　　）

2) 人，亻　（　　　）（　　　　）

3) 入　　　（　　　）（　　　　）

第 七 课 Lesson 7

一、汉字知识 Notes on Chinese characters：

汉字的笔画(五) Strokes (5)：

学习汉字,除了要掌握基本笔画以外,还必须注意:

In addition to the grasp of basic strokes, the following points are to be noted in learning the characters：

1. 笔画的形状:一个字该用哪些笔画,是有规定的,不能随便改换,如:"天"上面是一横,如改换成一撇,则成了"夭"(yāo)。

每个字笔画的长短、间隔距离也有一定的要求。如"人"左边的一撇写短了,则成了"入"(rù)。再拉开了距离,便成了"八"(bā)。

笔画相交时,出头与不出头也很重要,如"天"中的撇如果出了头,则成了"夫"(fū)。

The shape of a stroke：A character is composed of fixed strokes which can not be altered freely，e.g.，the first stroke of 天 is a horizontal one and if it is substituted by ノ，the character will turn into 夭 which is pronounced yāo.

The length of a stroke and interval between strokes are also important，e.g.，if ノ in 人 is shortened, the character will turn into 入 which is read rù. If you put them in separation, the character becomes 八(bā).

It is also important to make clear whether a stroke crosses or touches another，e.g.，if the ノ in 天 crosses the first horizontal stroke (一)，the character becomes 夫(fū).

2. 笔画的数目:每个字有多少笔画,也有一定的规定,多一笔不行,少一笔也不行。如"大"多了一笔,便成了"天"或"夫",少了一笔,便成了"人",都成了不同的字。

Number of strokes in a character：The number of strokes is fixed and no addition nor omission is allowed，e.g.，if you add a horizontal stroke (一) to 大，you will get 天 or 夫 and if you omit one, you will get 人.

3. 笔画的位置:每个字笔画的位置也是固定的,笔画位置颠倒,也会变成别的字或是错字了。如"部"(bù)左右字素的位置颠倒一下,便成了"陪"(péi);"太"(tài)中的点,如果写到右上方,便成了"犬"(quǎn)字。

Position of stroke：The strokes are arranged in a fixed way and if you make it otherwise, the character will turn wrong or into quite another one, e.g., if you arrange the two components of 部 in another way, the character 部 turns into 陪(péi), and if you put the dot in 太(tài) on the top-right, the character is read quǎn 犬 meaning "dog".

笔顺规则(三) Rules for stroke-order(3):

前边讲的笔顺规则:先横后竖,先撇后捺,先左后右,先上后下,先外后内,都是最基本的,但不是绝对的,而是相对的,互相制约的。例如:一般应先横后竖,但当竖在横的左边时,就要先写竖,再写横,"上"、"桌"等都是第一笔写竖,第二笔写横。又如,有的横笔在中间,而且地位突出,那么,横笔要最后写。如"女"中的横笔,就要最后写。

We have learnt the basic rules for stroke order: the horizontal before the vertical, the down stroke to the left before that to the right, from left to right, from top to bottom and the containing before the contained.

However, they are not absolute rules but relative and mutually conditioned, e.g., the general rule is to write the horizontal stroke before the vertical stroke, but if the vertical is to the left of the horizontal, the vertical precedes the horizontal, therefore, the first stroke of 上 and 桌 is the vertical one. The horizontal stroke in the middle and prominent position should be written last, e.g., the one in 女.

先进人,后关门:这是一个比喻。意思是四面包围(口)的结构,要先写"冂",再写里边的字心,最后写底下的横,使字封上了口,这就好像人进了门,再关门。如:

Write the enclosing strokes first and then those enclosed and finally the sealing horizontal stroke at the bottom. This rule is figuratively stated as "Close the door after you have entered the room". Examples:

日: 丨 冂 日 日

四: 丨 冂 冂 四 四

国: 丨 冂 冂 月 用 囯 国 国

二、生字表 Table of new characters:

1	四	丨 冂 冂 四 四						
2	看	手（ ノ 二 三 手）						
		目（丨 冂 月 月 目）					mù eye

23

3	知	矢（丿 ㇒ 乇 乍 矢） 口	
4	道	首（丶 丷 丷 艹 首） 辶	shǒu
5	的	白（丿 亻 白 白 白） 勺（丿 勹 勺）	
6	青	龶（一 二 耂 龶） 月	
7	年	丿 ㇒ 乍 乍 生 年	
8	有	ナ（一 ナ） 月	
9	没	氵（丶 冫 氵） 殳（丿 几 殳 殳）	
10	中	丶 口 中	
11	文	丶 二 宁 文	
12	姐	女 且（丨 冂 冂 月 且）	qiě
13	电	丶 口 日 日 电	
14	视	礻（丶 ㇀ 礻 礻） 见（丨 冂 贝 见）	（示）shì jiàn see

三、阅读 Read the following：

（一）

A：这是你的报吗？

B：不是，我没有报。这是谁的报？

C：我也不知道。

D：这是图书馆的报。

（二）

A：姐姐，我看看(read)你的中文画报。

B：好。你不看电视吗？

A：我不看，你看吧！（ba a modal particle expressing a moderate command）

四、练习　Exercises：

1. 写出包括下列笔画的汉字：

Give characters containing the following strokes：

1）乚

2）乚

2. 给下列汉字注音：

Transcribe the following characters：

1）朋　（　　　　）

2）有　（　　　　）

3）青　（　　　　）

3. 用汉字回答下列问题：

Answer the following questions in characters：

1）Nǐ shàng túshūguǎn ma?

2）Nǐ mǎi shénme?

第八课 Lesson 8

一、汉字知识 Notes on Chinese characters：

笔顺规则（四）Rules for stroke-order（4）：

先中间后两边：竖画在中间，地位又突出，而且不跟其他笔画相交，或者竖画的底下有挡笔，竖画就要先写。如：

The middle stroke before the strokes on both sides: When a vertical stroke is in the middle and prominent position and it doesn't cross other stroke; or there is a stroke under it, it should be written first. Examples：

小：丿 丿 小

堂：丨 丷 丷 쓰 堂

山：丨 凵 山（shān mountain）

水：丿 水 水 水（shuǐ water）

但是，若竖画跟其他笔画相交，而且底下没有挡笔，竖画就要后写。如：

However, if it crosses other stroke or there is no stroke under it, the vertical stroke should be written last. Example：

中：丶 口 口 中

下表总结了汉字笔画书写顺序的基本规则（简称"笔顺规则"）：

The basic rules for the order to write the strokes of a character are summarized in the following table：

例 字 Examples	笔 顺 Stroke-order	规 则 Rules
十	一 十	先横后竖 The horizontal before the vertical
人	丿 人	先撇后捺 The down stroke to the left before that to the right
三	一 二 三	先上后下 From top to bottom

26

好	女 好	先左后右 From left to right
同	冂 同	先外后内 The outer strokes before the inner strokes
国	冂 囯 国	先进人后关门 The enclosing strokes first，then the enclosed and finally the sealing horizontal stroke
小	亅 小 小	先中间后两边 The middle stroke before those on both sides

二、生字表　Table of new characters：

1	照	昭	日 (丨 冂 日)	日 rì sun
			召 (乛 刀 召)	
		灬 (丶 丷 灬 灬)		
2	相	木 (一 十 才 木)		木 mù wood
		目		
3	想	相		
		心		
4	借	亻		
		昔	龵 (一 十 艹 龵)	
			日	
5	词	讠		
		司 (冂 刁 司)		
6	典	丨 冂 日 由 曲 曲 典 典		

7	收	丩 (ㄥ 丩)
		攵 (′ ㄥ 攵 攵)
8	录	ㄱ ㄱ ㅋ 寻 寻 录 录
9	音	立 (丶 二 ㆒ 立 立)
		日
10	机	木
		几	jǐ, jī
11	太	大 太

三、阅读　Read the following：

(一)

A：您知道哪儿是图书馆吗？
B：知道！您想借什么书？
A：我想借中文词典，他们有吗？
B：有，他们有各种(gè zhǒng all kinds)词典。
A：Xièxie 你！

(二)

A：您好，我想借中文词典，有吗？
B：有，你要(yào want)中文书吗？
A：我要中文书，xièxie 你！

(三)

买照相机　　借收音机
有照相机　　没有录音机

四、练习　Exercises：

1. 写出下列汉字的第一画：

Give the first stroke of each character：

1) 看（　　　　） 　　　　3) 有（　　　　　）

2) 上（　　　　） 　　　　4) 大（　　　　　）

2. 请写出你自己国家和语言的名称：

Write the name of your country and the name of your native language：

例 Example：中国　　　中文

国　　名 Name of country	语　言　名 Name of language

第九课 Lesson 9

一、汉字知识 Notes on Chinese characters:

汉字的结构(一) Structure of Chinese characters (1):

汉字的绝大部分是合体字,即由两个或两个以上的结构单位(字素)组成的字。熟悉合体字的结构也是正确掌握汉字的重要条件,合体字大体有三种:左右结构、上下结构、内外结构。(下面方格中的数字表示字素书写顺序)

Most characters are compound ones, i.e., they are composed of two or more components. It is imperative to know thoroughly the structure of a compound character in grasping the writing of characters. The compound characters roughly have three forms of structure: left-right structure, top-bottom structure and outer-inner structure. (The figures in the following examples indicate the order to write the components.)

左右结构: Left-right structure:

1	2

你: 亻　你

1	2

好: 女　好

1	2

那: 月　那

上下结构: Top-bottom structure:

1
2

英: 艹　英

1
2

杂: 九　杂

1
2

点: 占　点

30

内外结构：The outer-inner structure：

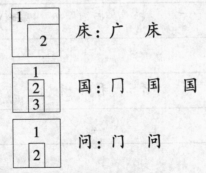

一般先写外边，再写里边。但也有例外，如：

Usually the outer component is written before the inner one(s). But there are exceptions, e,g.

这：文　这

合体字还有各种复杂的结构，大部分是上面这些基本结构的组合或变形，它们的书写顺序也多遵循先上后下、先左后右、先外后内的规律。如：

There are other forms of structure of compound characters, most of which are the combinations or variants of those basic forms we learnt. The order to write them follow the same rules of "from top to bottom", "from left to right", and "from the outer component (s) to the inner one(s)". Examples:

语：讠　讶　语

部：立　音　部

宿：宀　宿　宿

哲：扌　折　哲

二、生字表　Table of new characters：

1	要	西（一　一　一　一　西　西） 女	
2	种	禾（一　一　千　禾　禾） 中	hé standing grain
3	几	丿　几	
4	两	一　一　一　丙　两	
5	个	丿　人　个	
6	杂	九 木（一　十　才　木）	
7	志	士（一　十　士） 心	
8	桌	卜（丨　卜） 曰（丶　冂　曰　曰） 木	mù wood
9	子	一　了　子	
10	柜	木 巨（一　一　一　巨）	
11	本	木　本	
12	床	广（丶　一　广） 木	guǎng
13	张	弓（一　一　弓） 长（丿　一　长　长）	

14	练	纟
		东 (一 　 士 　 车 　 东 　 东)
15	习	乛 　 刁 　 习

三、阅读　Read the following：

（一）

三本画报　　四本书　　七个本子　　　五张纸

九张床　　　十张桌子

几个大夫　　九个工人　　八个护士

（二）

A：我要上商店（shāngdiàn shop）。

B：你要买什么？

A：我买几个本子，一个照相机。你也上商店吗？

B：不，我上书店（book store）。

A：你买什么？

B：买几本中文画报，几种英语杂志。

（三）

A：我有一张桌子，一张床，两个柜子。我的 tóngwū 也有一张桌子，一张床，两个柜子。

B：你们没有椅子（yǐzi chair）？

A：有，有，我有，他也有。

四、练习　Exercises：

1. 从我们所学过的汉字中找一找哪些字符合下面的规则？

   Give examples of the following structures from characters you learnt：

   1）左右结构：

   （Left-right）＿＿＿＿＿＿＿　＿＿＿＿＿＿＿　＿＿＿＿＿＿＿

2）上下结构：

（top-bottom）_____ _____ _____

3）内外结构：

（outer-inner）_____ _____ _____

2. 下列汉字在书写上应遵循哪些规则？

What are the rules to follow in writing the following characters?

1）宿

2）图

3）道

4）照

第 十 课　Lesson 10

一、汉字知识　Notes on Chinese characters：

汉字的书写(二)：The hand-writing of Chinese characters (2)：

写一个汉字,笔画、笔顺、笔画的位置都对,就可以说这个字写得正确。但是要写好汉字,写得整齐、匀称、好看,还需要注意几点:

A character may be said to be written correctly if you have get the correct strokes, stroke-order and position of strokes. But if you want to write good, neat, balanced and beautiful characters, the following are to be observed:

1. 横要平,竖要直。横和竖是汉字的基本笔画,横平竖直才能写得字体端正,这两种笔画既不能写歪写斜,也不能写得中间弯弯曲曲。横不平,竖不直,就显得潦草。横或竖的笔画如果弯曲,字就显得无力。

The horizontal stroke should be level and the vertical stroke upright. The horizontal and vertical strokes are basic ones, and only by making the horizontal stroke level and the vertical stroke upright, can the whole character look upright. These two strokes should not be dipped, nor tipped, nor zigzagged. If the horizontal stroke is not level or the vertical not upright, the character looks like one which is scrabbled. If these two strokes are zigzagged, the character doesn't look vigorous.

2. 写合体字,要注意字的拼合形式(基本上属于哪种结构),各个字素笔画的多少,各种笔画的长短、高低。

为了使字写得匀称、端正,就要注意中线,笔画少的字素一般占的位置小些,笔画多的字素占的位置就要大一些。如:

In writing compound characters, attention should be paid to the structure, number of strokes in each component and the length of each stroke.

In order to write a character in good balance and symmetry, it is imperative to put the character on its bisector. Component with fewer strokes take a smaller space and that with more strokes a bigger space. Examples:

在格子里写字，一定要写在格子的正中，不偏不倚，大小适当。

Characters are to be written in the middle of the checks if you use checked paper, not inclined to any side and the size should not be too big, nor too small.

笔画多的字要紧凑一些，笔画少的就要写得舒展一些，这样每个字的大小、高低大体一致。例如：

Characters with many strokes should be compact and those with fewer strokes should be loose, so that you can write every character in about the same size. For example:

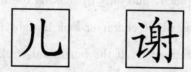

二、生字表　Table of new characters:

1	去	土（一　十　土）	
		厶（乙　厶）	
2	首	ⸯ　丷　䒑　首	
3	都	者（一　十　土　耂　者）	zhě
		阝	

4	剧	居（ㄱ　ㄱ　尸　尸　居　居）					jū
		刂（丨　刂）					
5	场	土（一　十　土）					tǔ earth
		汤（ㄅ　ㄅ　汤）					
6	北	丬（丨　十　丬）					
		匕（ノ　匕）					bǐ
7	京	丶　二　亩　宁　亨　京					
8	再	一　厂　厅　冂　再　再					
9	见	丨　冂　见　见					
10	乐	一　二　牙　牙　乐					
11	厅	厂					chǎng
		丁					dīng
12	听	口					
		斤（ノ　厂　斤　斤）					jīn

三、阅读　**Read the following:**

（一）

A：你去不去看京剧？

B：我不去，我去北京音乐厅听音乐。

A：我去首都剧场看京剧。再见！

B：再见！

（二）

A：你去哪儿？

B：我去北京大学(大学 dàxué university)。

A：你去那儿看朋友？

B：是，我去那儿看两个中国(guó)朋友。

四、练习　Exercises：

1. 在下列方格的后边，填上适当的汉字，并注音：

Give three characters of each structure and transcribe them：

_____（　　　）_____（　　　）_____（　　　）

_____（　　　）_____（　　　）_____（　　　）

_____（　　　）_____（　　　）_____（　　　）

2. 写出包括下列字(素)的字，并用该字组成一个词：

Give characters containing the following components and a word including each character：

1）目：_____（　　　）_____（　　　）_____（　　　）

2）扌：_____（　　　）_____（　　　）_____（　　　）

_____（　　　）_____（　　　）_____（　　　）

第十一课　Lesson 11

一、汉字知识　Notes on Chinese characters：

汉字的偏旁(一)　The *sides*（1）：

1. 汉字在结构上分为独体字与合体字两大类。

独体字:形体上它不能再分割出另一个示意或表音的字素,如:

Structurally characters fall into two categories: the single-component characters and the multi-component characters.

The single-component characters are those that can not be divided into components indicating either meaning or pronunciation, for example:

目、木、人、女、日、月、上、下

合体字:至少包括两个字素(两个示意或一个示意,一个表音)的汉字,如:

The multi-component characters are those including at *least two* components with one indicating meaning, one pronunciation or both the meaning, for *example*:

相、吗、朋、房、间、话

组成这些合体字的音、义的字素是:

The components that compose the above characters are:

扌 、目、口、马、月（月）、户、方、门、日、讠、舌

像上面这些例子这样能组成合体字的字素就叫做偏旁。

Components that can be combined into characters are known as the *sides* of characters.

2. 偏旁最初都是独体字,随着汉字的演变,有些偏旁不再单独成字使用了,如:

In the beginning, all *sides* were characters by themselves but with the evolution of characters, some *sides* are no longer used as independent characters, for example:

"回、国"中的"口"　　口 in 回,国,etc.

"医、巨"中的"匚"　　匚 in 医,巨,etc.

"字、官"中的"宀"　　宀 in 字、官,etc.

有些独体字作偏旁,形体上有所变化,如:

Some single-component characters change their forms when used as *sides*, for exam-

39

ple：

$$手（shǒu\ hand）\ →\ 扌（打）$$
$$竹（zhú\ bamboo）\ →\ 竹（笔）$$
$$火（huǒ\ fire）\ →\ 灬（热）$$

还有些独体字作为偏旁随汉字简化而有较大的形体变化，如：

Some *sides* that stem from single-component characters change their forms considerably when they are simplified, for example：

$$言→言→讠（话）$$
$$金→金→钅（铁）$$
$$食→食→饣（馒）$$

3. 从汉字的起源和发展来看，汉字是一种表意文字，在合体字中往往用一种偏旁表示某一种意义，例如，谁、说、语、词、话等，都有一个共同的偏旁"讠"即"言"字的简化，凡有这个偏旁的字，多与语言有关，所以称为"言字旁"（yánzìpáng）。再例如，吗、叫、哪、号、知、吃等都以"口"字为偏旁，以"口"字为偏旁的字，也多与嘴有关，故称为"口字旁"（kǒuzìpáng）。

掌握了偏旁，对记忆、书写汉字以及学习查字典都很有帮助。

The origin and development of Chinese characters tell us that the characters are semasiographic in nature. In a multi-component character, usually one of the components, i.e. the *sides*, indicates a certain meaning. For example, the *side* 讠, which is simplified from 言, means language or speech, so characters with 讠 such as 谁, 说, 语, 词, 话, etc. have something to do with language or speech and 讠 is named the "*speech side*".

The *side* 口 means "mouth" and characters with 口 such as 吗, 叫, 哪, 号, 知, 吃, etc. are related to the mouth in meaning, so 口 is called the "*mouth side*".

It is of great help to learn the *sides* if one wants to memorize and write characters and to consult a Chinese dictionary.

二、生字表　Table of new characters：

1	住	亻				
		主（丶　　亠　　二　　亍　　主）				zhǔ
2	在	ナ（一　　ナ）				
		丨				
		土				

3	房	户（丶 ㇏ ㇗ 户）		hù door-leaf
		方（丶 一 亅 方）		fāng
4	间	门		
		日		rì
5	还	不		
		辶		
6	楼	木		
		娄	米（丶 丷 半 半 米）	
			女	
7	号	口		
		万（一 万）		
8	多	夕（丿 ㇆ 夕）		
		夕		
9	少	丨 丿 小 少		
10	话	讠		
		舌		shé tongue
11	码	石（一 丆 石）		shí strone
		马		mǎ

三、阅读 Read the following:

(一)

A：张文！张文！

41

B：你好，朋子！你去哪儿？

A：我去音乐厅听音乐。

B：你还住在北方饭店(fàndiàn hotel)吗？

A：是，我住二〇七一房间，你还住八号楼吗？

B：不是，我住九号楼三四九房间，你的电话号码是多少？

A：六二三五四〇七八。再见！

B：再见！

（二）

A：你有多少张桌子？

B：我有两张桌子。

A：你有多少张纸？

B：我有十张纸。

A：他有多少本画报？

B：他有九本画报。

四、练习　Exercise：

从括号里选择一个适当的词填在下边各句的空白中：

Choose an appropriate word from the list to fill in the blanks：

（本，谁，哪儿，十号楼，报，大夫）

1．这是_____的电话？

2．_____住_____。

3．你去_____听音乐？

4．我买这_____画报。

5．他去图书馆借几张_____？

第十二课　Lesson 12

一、汉字知识　Notes on Chinese characters：

汉字偏旁（二）The *sides*（2）：

1. 同一个偏旁在不同的字里，偏旁的位置可以不同，如"吗"、"呢"、"叫"、"哪"等字中，"口"都在字的左边，"号"中的"口"则在字的上部，"名"中的"口"则在字的下部，"知"中的"口"则在字的右部，但是它们都属于有"口"字旁的汉字。

但在一个汉字中，偏旁的位置是固定的，如"部"（bù），如果左右部位调换一下，就变成另一个字"陪"（péi）了。所以，在学习汉字时，除要记它的偏旁以外，还必须记住偏旁的位置。

The position of a *side* may be varied in different characters, e.g., 口 in 吗，呢，叫，哪，etc. is on the left, it is at the top in 号，at the bottom in 名，and in 知 it is on the right, though they all are characters with 口.

What is to be noted is that the position of the *side* in one particular character is fixed, e.g., if the two components of 部 change their positions, the character turns into 陪 which is pronounced péi. Therefore, in learning characters, you should learn the position of the *sides* as well as the *sides* themselves.

2. 阝　双耳旁（shuāng' ěrpáng）The "*double-ear side*".

Examples：

部　院

二、生字表　Table of new characters：

1	请	讠	
		青	qīng
2	进	井（一　二　二　井）	
		辶	

3	坐	从		
		土		
4	叫	口		
		丩		
5	名	夕		
		口		
6	字	宀		
		子		
7	贵	虫（中 虫）		
		贝（丨 冂 贝 贝）	bèi	
8	姓	女		
		生（丿 ㇒ ⺧ 牛 生）	shēng	
9	喝	口		
		曷	曰	
			匃（丿 勹 匂 匄 匃）	
10	茶	艹（一 十 艹）		
		人		
		朩		

11	客	宀	
		各	夂
			口
12	气	丿	一	二	气

三、阅读　Read the following：

（一）

客：太客气　不客气　客人　请客
请：请进　请坐　请喝茶　请看　请听　请说(shuō speak)

（二）

A：这是音乐厅吗？
B：是，请进！

（三）

（在楼门口）

A：这是九号楼吗？
B：是。
A：我去看朋子。
B：请进！
　（在三四九房间门口）
A：（敲门 Knocking at the door.）
B：请进！　张文，你好！
A：你好，朋子！
B：你喝咖啡(kāfēi coffee)吗？
A：不，我不喝。
B：喝茶吧(ba a particle)！
A：好(OK)！谢谢(xièxie)你！
B：不客气，不客气！

四、练习 Exercises：

1. 在下列方格的后面,填上适当的汉字,并注音：

Fill in the blanks with characters in the structures shown by the checks and give their *pinyin* transcriptions：

_____（　　）　_____（　　）　_____（　　）

_____（　　）　_____（　　）　_____（　　）

2. 写出包含下列偏旁的汉字,并各组一个词语：

Write out characters with the following *sides* and give words containing them：

例　Example：口：听　听音乐；

1) 讠：_____　_____；_____　_____；

_____　_____；_____　_____。

2) 口：_____　_____；_____　_____；

_____　_____；_____　_____。

第十三课　Lesson 13

一、汉字知识　Notes on Chinese characters：

汉字的偏旁（三）The *sides* (3)：

1. 心　心字底(xīnzìdǐ) The "*heart bottom*"

"心"看起来像心脏的形状,古人认为心脏是思想和感情的器官。带心字底的字多与思想、感情有关。如：

This *side* looks like the shape of a heart. It is called "heart bottom", because it always occur at the bottom of a character. In ancient times, people took the heart for the organ of thinking and emotions. Characters with the "*heart bottom*" are usually related to thinking and emotions in meaning. Examples：

急　志　想

2. 木（木）　木字旁(mùzìpáng) The "*wood side*"

"木"像树的形状。有"木"字旁的字多与木头有关。如：

This *side* looks like the form of a tree. Characters with the "*wood side*" have something to do with wood. Examples：

柜　楼　椅　桌

二、生字表　Table of new characters：

1	新	亲（ ` 亠 亠 立 立 亲 亲 亲 ）	qīn
		斤（ ' 厂 斤 斤 ）	jīn
2	会	人	
		云（ 一 二 云 云 ）	yún
3	语	讠	
		吾（五 吾）	

47

4	可	一 口 可	
5	以	㇀ ㇏ 以 以	
6	说	讠 兑 (ˋ ˇˋ 丷 产 兑)	
7	同	丨 门 门 同	
8	学	丷 (ˋ ˇˋ 丷) 一 子	
9	点	占 (丨 卜 占) 灬	zhàn
10	国	囗 (冂 囯 国) 玉 (一 二 干 王 玉)	yù
11	生	丿 ㇒ 牛 牛 生	

三、阅读 Read the following：

(一)

学生　　英国学生　　　他是美国学生。
　　　　我们是学生。　他们是张老师的学生。
学习　　他学习英语。　那个大夫学习日语。
　　　　我朋友学习西班牙语。
一点儿　会一点儿　会说一点儿　会说一点儿汉语
回　　　回宿舍　　回国

(二)

我有四个朋友。我们是同学。朋子是个女同学，她是我的同屋。她是日本

48

人,她不会英语,也不会法语。贝尔娜(Bèi'ěrnà)也是一个女同学。她是法国学生,她可以说一点儿汉语。她还不会写(xiě to write)汉字(Hànzì Chinese characters)。万斯(Wànsī)是一个英国学生。他会英语,法语,还会一点儿西班牙语。我还有一个朋友,他的名字是汉斯(Hànsī)。他是德国人。我们都(dōu all)学习汉语。

四、练习 Exercises:

1. 填空:

Fill in the blanks:

1) 中国人说＿＿＿＿＿＿＿＿。

2) ＿＿＿＿＿＿＿＿说法语。

3) 日本人说＿＿＿＿＿＿＿＿。

4) 英国人说＿＿＿＿＿＿＿＿。

2. 给下列汉字注音,并组成词或词组:

Transcribe the following characters and add a character or a word to each to form a word or phrase:

1) 英(　　　　) ＿＿＿＿＿　　　5) 子(　　　　) ＿＿＿＿＿

2) 音(　　　　) ＿＿＿＿＿　　　6) 字(　　　　) ＿＿＿＿＿

3) 厅(　　　　) ＿＿＿＿＿　　　7) 姓(　　　　) ＿＿＿＿＿

4) 听(　　　　) ＿＿＿＿＿　　　8) 生(　　　　) ＿＿＿＿＿

3. 组词(选做):

Word-building exercise (optional):

学＿＿＿＿＿＿　　　　学＿＿＿＿＿＿

学＿＿＿＿＿＿　　　　学＿＿＿＿＿＿

＿＿＿＿＿＿学　　　　＿＿＿＿＿＿学

＿＿＿＿＿＿学　　　　＿＿＿＿＿＿学

第十四课 Lesson 14

一、汉字知识 Notes on Chinese characters：

汉字的偏旁（四）The *sides*（4）：

1. 土 土字旁（tǔzìpáng）The "*earth side*"

    1）在字的左边，如：

    It may occur on the left of a character. Examples：

    场　块

    2）在字的上边，如：

    At the top of a character. Examples：

    去

    3）在字的下边，如：

    At the bottom of a character. Examples：

    坐　在

2. 亻 立人旁（lìrénpáng）The "*standing person side*"

    如：

    Examples：

    你　他　们　住

3. 囗 围字框（wéizìkuàng）The "*enclosure frame*"

    表示界限和范围。如：

    This *side* means limits or range. Examples：

    国　回

二、生字表 Table of new characters：

1	边	力（丁　力）
		辶
2	东	一　七　车　车　东

50

3	西	一 厂 闩 币 西 西
4	南	十（一 十）
		用（丿 冂 冂 冂 冂 用）
5	前	丷（丶 丷 丷）
		刖 月
		刂
6	后	厂（丿 厂）
		一
		口
7	左	𠂇（一 𠂇）
		工
8	右	𠂇
		口
9	邮	由（丨 冂 日 中 由）　　　yóu
		阝
10	局	尸
		𠃌
		口
11	小	亅 小 小

12	卖	⼗（一　⼗）	
		买	
13	部	咅	立
			口
		阝	
14	外	夕	
		卜（丨　卜）	bǔ，bo

三、阅读　Read the following：

（一）

边儿　　左边儿　右边儿
东边儿　西边儿　南边儿　北边儿　外边儿
小　　　小卖部　小邮局　小电影院
小食堂　小楼儿
小桌子　小柜子
小照相机　小收音机

（二）

食堂西边儿有一个宿舍楼。那个楼是我们男（nán male）同学的宿舍。我们两个学生住一个房间，房间里有两张床、两张桌子、两个柜子。

这个房间是我和山本（Shānběn）的宿舍。我的桌子上有一台电视机、两本词典，一本是汉英词典，一本是英汉词典。我的床上还有三本外文画报，山本的桌子上有很多中文和日文的杂志、报纸、书，床上有一个 CD 机。宿舍楼西边儿有一个邮局和一个小卖部。

四、练习　**Exercises**：

1. 写出带有"围字框"的汉字，并注音：

Write out characters with □ (*the encloure frame*) and give *pinyin* transcriptions for them：

_____（　　　　）_____（　　　　）_____（　　　　）

2. 在下列方格的后边填上带有"木字边儿"的汉字：

Write out characters with the "wood side（木，木）" in the following structures shown in the checks：

_____ _____ _____

_____ _____ _____

_____ _____

_____

第十五课　Lesson 15

一、汉字知识　Notes on Chinese characters：

汉字的偏旁（五）The *sides*（5）：

1. 厂　厂字头（chǎngzìtóu）The "*sheltering cliff top*"

　　如：

　　Examples：

厅　历

2. 氵　三点水旁（sāndiǎnshuǐpáng）The "*three-drops-of-water side*"

　　"氵"象征流水,通常在一个字的左边。如：

　　This *side* symbolizes flowing water. It occurs on the left of a character. Examples：

汽　汁　汗

二、生字表　Table of new characters：

1	等	𥫗（ノ　𠂉　𥫗　𥫗　𥫗　𥫗）
		寺　土（一　十　土） 寸（一　寸　寸）
2	汽	氵（丶　冫　氵） 气
3	车	一　𠂇　车　车
4	作	亻 乍（ノ　𠂉　𠂉　乍　乍）

54

5	系	⟋						
		糸 (⟋ ㄠ ㄠ ㅤ糸 糸)						
6	历	厂						
		力						lì
7	史	丶 口 口 史 史						
8	哲	折	扌					zhé
			斤 (⟋ 厂 斤 斤)					
		口						
9	经	纟						
		至 (⟋ ㅈ 至)						
10	济	氵						
		齐 (丶 亠 文 齐 齐)						qí
11	认	讠						
		人						
12	识	讠						
		只 (丶 口 口 尸 只)						
13	来	一 一 口 ㅛ 平 来 来						
14	了	乛 了						
15	吧	口						
		巴						

三、阅读 Read the following：

（一）

等   等汽车   等人   等朋友   等他同学
学   学生   学习   学院   院校
         大学   同学   哲学   文学   历史学 经济学

（二）

    张文是我们学院外语系的学生。他学英文，我学中文，我们是好朋友。张文的爸爸是老师，在北大历史系工作。他妈妈在北京医院工作，她是大夫，我认识他们。我还认识他的姐姐和哥哥。他姐姐叫张历，是一个工人，他哥哥叫张志，在音乐学院学习，他们也是我的朋友。他们的家（jiā home）在北大，张文住学校。我们常常（chángcháng often）在图书馆学习，也常常去电影院看电影，去音乐厅听音乐。

四、练习 Exercises：

1. 在下列方格的后边，填上适当的汉字，并注音：

Fill in the blanks with characters in the structures shown by the checks and give their *pinyin* transcriptions：

＿＿＿＿（   ）   ＿＿＿＿（   ）   ＿＿＿＿（   ）

＿＿＿＿（   ）   ＿＿＿＿（   ）   ＿＿＿＿（   ）

2. 从括号里选出一个适当的字填写在下列的空白中：

Choose an appropriate character to fill in each blank：

1）等＿＿＿＿＿车（气，汽）

2）不客＿＿＿＿（气，汽）

3）看＿＿＿＿＿影（点，电）

4）会一＿＿＿＿儿（点，电）

第十六课　Lesson 16

一、汉字知识　Notes on Chinese characters：

汉字的偏旁（六）　The *sides*（6）：

1. 日　日字旁（rìzìpáng）The "*sun side*"

   "日"是太阳的意思，含有"日"的字往往和时间、季节有关。如：

   This *side* symbolizes "the sun" and characters with 日 are related to time, season, etc. Examples：

   昨　明　星

2. 人　人字头（rénzìtóu）The "*person top*"

   有人字头的字多与人的生活及活动有关。如：

   Characters with the "*person top*" usually have something to do with livelihood and activities of man. Examples：

   今　会　个　舍

二、生字表　Table of new characters：

1	今	人（丿　人）
		亇（丶　亇）
2	天	一　二　于　天
3	月	丿　刀　月　月
4	日	丨　冂　日　日
5	星	日
		生

6	期	其（一　十　廿　苷　甘　苴　其　其）	qí
		月	
7	昨	日	
		乍（丿　乍　乍　乍　乍）	
8	明	日	
		月	
9	际	阝	
		示（一　二　于　亓　示）	shì
10	俱	亻	
		具（丨　冂　冃　月　且　具　具）	jù
11	体	亻	
		本	
12	育	云（、　一　云　云）	
		月	
13	商	、　一　六　广　咅　啇　商　商	
14	店	广（、　一　广）	guǎng
		占（丨　卜　占）	zhàn
15	球	王（一　二　干　王）	wáng
		求（一　十　寸　才　求　求　求）	qiú
16	赛	宀	
		共（一　二　土　圵　共　共　共）	
		贝（丨　冂　贝　贝）	bèi

58

三、阅读　Read the following：

（一）

天　　　昨天　　今天　　　明天
星期　　星期一　星期二　星期三　星期四　星期五
　　　　星期六　星期日
际　　　国际　　院际　　校际

（二）

今天是十月十七日,星期日。我和(hé and)朋子一起(yìqǐ together)去国际俱乐部体育场看球赛。这场球赛是日本队(duì team)和法国队比赛足球(zúqiú football)。这是一场国际比赛。

（三）

昨天张老师说:"明天你来我的宿舍吧,我们可以谈谈(tántan to talk about)中国的文学。我明天在宿舍等你。"今天我和朋子回学校(xuéxiào school)后(hòu after),朋子和日本同学去电影院看电影,我去张老师的宿舍。

四、练习　Exercises：

1. 用下列字素组成三个字,并注音：

Combine the following components into three characters and transcribe them：

西　月　亻　女　日　具

_____（　　　　）　_____（　　　　）　_____（　　　　）

2. 给下列汉字注音,并各组一个词语：

Transcribe the following characters and give words or phrases containing them：

1) 买(　　　　)_____

2) 卖(　　　　)_____

3) 作(　　　　)_____

4) 昨(　　　　)_____

5) 相(　　　　)_____

6) 想(　　　　)_____

第十七课　Lesson 17

一、汉字知识　Notes on Chinese characters：

汉字的偏旁(七) The *sides* (7)：

1. 扌　(手字旁 shǒuzìpáng) The "*hand top*"

古字"扌"是左手的意思。在"友"字中的"又"也是一个古字，是右手的意思。

"友"字表示手拉手，即友谊、友好、朋友的意思。如：

扌 is an ancient character meaning "the left hand". 又 in 友 is an ancient character meaning "the right hand", so 友 symbolizes "hand in hand", i.e. friendship, friendly, friends, etc., Examples：

友　左　右　在　有

2. 匚　(区字旁 qūzìpáng) The "*area side*"

古字"匚"是区域的意思。如：

匚 in ancient time means "area". Examples：

医　巨　匹

3. 耂　(老字头 lǎozìtóu) The "*old-age side*"

如：

Examples：

老　者

二、生字表　Table of new characters：

1	下	一　丁　下	
2	时	日	
		寸(一　十　寸)	cùn
3	候	亻(亻　亻)	
		矦(丿　㇆　㇇　㇇　㇗　矦　矦)	

60

4	毕	比（一　ヒ　ヒ　比）	
		十	
5	业	｜　｜｜　业　业　业	
6	谊	讠	
		宜	宀
			且（｜　冂　月　日　且）
7	医	一　丆　丆　丂　医　医	
8	老	耂（一　十　土　耂）	
		匕（ノ　匕）	
9	师	リ（｜　リ）	
		帀（一　厂　币　帀）	
10	运	云（一　二　云　云）	
		辶	
11	动	云	
		力	
12	长	ノ　一　长　长	
13	城	土	
		成（一　厂　万　成　成　成）	
14	很	彳（ノ　ノ　彳）	
		艮（フ　コ　ヨ　ヨ　艮　艮）	

61

三、阅读 Read the following:

(一)

上	上星期	上个月	上月	上哪儿
下	下星期	下个月	下月	
这	这星期	这个月	这月	
毕业	小学毕业	中学毕业	大学毕业	
场	体育场	运动场	球场	

(二)

这星期我们毕业了。我们几个同学中有的(some)学习中国历史,有的学习中国哲学,有的学习中国经济。我们都是很好的朋友。

在我们要回(huí to return)国的时候,我们想和老师们再去一次长城。我要照很多相。我知道,这是最(zuì most)好的纪念(jìniàn souvenir)。

四、练习 Exercises:

1. 有的汉字有不同的读音,意思也不同,请用"乐"字说明:

Illustrate with the character 乐 that some characters are pronounced differently and they mean differently:

	注　音 Transcriptions	组　词 Words containing it	翻　译 Translation
乐			

2. 写出包括言字旁的汉字,并注音:

Write out characters containing the side 讠 and transcribe them:

(　　)＿＿＿＿＿　　(　　)＿＿＿＿＿　　(　　)＿＿＿＿＿

(　　)＿＿＿＿＿　　(　　)＿＿＿＿＿　　(　　)＿＿＿＿＿

62

第十八课　Lesson 18

一、汉字知识　Notes on Chinese characters：

汉字的偏旁（八）　The *sides*（8）：

1. 𤣩　王字旁（wángzìpáng）The "*jade side*"

如：

Examples：

现　班　球

2. 饣　食字旁（shízìpáng）The "*food side*"

"饣"用于字的左边，如：

饣 occurs on the left of a character. Examples：

饭　馆　饮

3. 丷　羊字头（yángzìtóu）The "*sheep top*"

"丷"象征着羊头的形状。如：

丷 originates from an ancient character which symbolizes the head of a sheep.

Examples：

差　着

4. 目　目字旁（mùzìpáng）The "*eye side*"

"目"是眼睛的意思，带"目"字旁的字多与眼睛有关，常用于字的左边或下部。如：

目 means "eye" and is used on the left or at the bottom in characters related to eyes in meaning. Examples：

睡　眼　睛　看

二、生字表　Table of new characters：

| 1 | 现 | 王 （ 一　二　干　王 ） | |
| | | 见 | jiàn |

2	分	八	
		刀（ 丁　刀）	dāo knife
3	刻	亥（ ヽ　一　亠　亥　亥　亥）	
		刂（ 丨　刂）	
4	差	羊（ ヽ　ソ　ヽソ　ゝソ　兰　羊）	
		工	
5	半	ヽ　ヽヽ　ソ　兰　半	
6	起	走（ 一　十　土　キ　キ　赱　走）	zǒu
		己（ フ　コ　己）	jǐ
7	早	日　（ ヽ　丨口　日　日）	
		十	
8	午	ノ　ヒ　二　午	
9	晚	日	
		免（ ノ　ク　ク　各　各　争　免）	miǎn
10	睡	目（ 丨　冂　月　月　目）	mù eye
		垂（ 一　二　千　丢　乒　乒　乒　垂）	
11	觉	兴（ ヽ　ヽヽ　ソ　ツ　兴）	
		见	
12	吃	口	
		乞（ ノ　ヒ　乞）	

13	饭	饣(㇒ ㇇ 饣)	
		反(㇒ 厂 反)	fǎn
14	课	讠	
		果(㇒ 冂 口 日 旦 里 里 果)	guǒ

三、阅读　Read the following:

(一)

点钟（diǎnzhōng o'clock）他六点钟起床,七点钟吃早饭,八点钟去教室（jiàoshì classroom）上课。

分钟（fēnzhōng minute）

秒钟（miǎozhōng second）

吃饭　　吃早饭　　吃午饭　　吃晚饭

(二)

汉斯有一个学习、生活（shēnghuó life）计划（jìhuà plan）。

六点三十分　　　　起床

七点十分　　　　　吃早饭

八点四十五分　　　去教室上课

十二点　　　　　　吃午饭

十二点四十分　　　看小说(xiǎoshuō novel) 看报纸

十五点　　　　　　学习汉语

十六点四十五分　　锻炼(duànliàn do physical exercises)

　　　　　　　　　身体(shēntǐ health)

十七点五十分　　　吃晚饭

十九点　　　　　　学习　听录音　做练习

二十二点三十分　　睡觉

　　　　　　　　　早睡早起身体好!

你也有一个计划吗?

四、练习　Exercises：

1. 给下列汉字注音,并各组一个词：

Transcribe the following characters and give words containing them：

1) 饭（　　　　　　）_____

2) 局（　　　　　　）_____

3) 点（　　　　　　）_____

4) 电（　　　　　　）_____

5) 店（　　　　　　）_____

6) 刻（　　　　　　）_____

7) 客（　　　　　　）_____

2. 根据提示,在下列方格后面写出适当的汉字：

Write out characters containing the following sides in the structures given below：

厂_____　　广_____

_____　　_____

尸_____　　户_____

第十九课　Lesson 19

一、汉字知识　Notes on Chinese characters：

汉字的偏旁(九) The *sides*(9)：

1. 钅　金字旁(jīnzìpáng) The "*metal side*"

如：

Examples：

钢　铅　钱

2. 刂　立刀旁(lìdāopáng) The "*standing-knife side*"

如：

Examples：

刻　别　剧

3. 𥫗　竹字头(zhúzìtóu) The "*bamboo top*"

"𥫗"象征竹叶的形状，常用在字的上部。有"𥫗"的字多与竹子有关。

如：

𥫗 stems from an ancient character symbolizing bamboo leaves and is used at the top of a character. Characters with 𥫗 are often (not always) related to things made of bamboo. Examples：

笔　等

二、生字表　Table of new characters：

1	笔	𥫗（ノ　ヽ　ト　ヒ　ヒヒ　𥫗）	
		毛（ノ　二　三　毛）	máo hair
2	铅	钅（ノ　ヽ　ト　ニ　钅）	
		㕣（几　㕣）	
3	钢	钅	
		冈（丨　冂　冈　冈）	gāng

67

4	圆	囗（冂 圆 圆）		
		员（口 尸 吊 员 员）		yuán
5	珠	𤣩		
		朱（丿 𠂉 𠂉 牛 牛 朱）		zhū
6	钱	钅		
		戋（一 二 𠃑 𢦏 戋）		
7	支	十		
		又		
8	共	一 十 卄 共 共 共		
9	元	一 二 亍 元		
10	角	丿 𠂊 𠂊 𠂆 角 角 角		
11	别	另（口 另）		lìng
		刂（刂 刂）		
12	块	圡		
		夬（コ ユ 央 夬）		
13	毛	一 二 三 毛		
14	找	扌（一 十 扌）		
		戈（一 七 戈 戈）		
15	怎	乍（丿 𠂉 𠂉 乍 乍）		zhà
		心（丶 心 心 心）		

| 16 | 样 | 木 | |
| | | 羊（ ` ` ` ` ` ` 兰 羊） | yáng |

三、阅读　Read the following:

（一）

笔　　　　铅笔　　　　钢笔　　　　圆珠笔　　　　毛笔（máobǐ）

别的　　　别的学生　　别的大学　　别的宿舍　　别的食堂

　　　　　别的工作　　别的练习

别　　　　别客气

找　　　　你找什么？　　我找我的汉字词典。

　　　　　我找你钱。　　你找我多少钱？

（二）

今天我去小卖部买练习本和钢笔。练习本有四毛八（四角八分）的、一块二（一元二角）的，还有一种是十一块七（十一元七角）的。我买了两本一块二的。钢笔也有很多种：两块五（两元五角）的，五块三（五元三角）的，十二块四（十二元四角）的，十五块九（十五元九角）的，最（zuì most）好的一种是二十块八（二十元八角）。我买了一支十五块九（十五元九角）的。

小卖部里还有很多东西（dōngxi things）。

我又买了两斤苹果（píngguǒ apple）。一斤苹果三块。我很喜欢（xǐhuan to like）吃苹果。

四、练习　Exercises:

1. 根据阅读（二）的内容，请你算一下"我"在小卖部用了多少钱。

Calculate how much money "我" spent in the store according to（二）.

2. 写出读"shi"的汉字，并注音：

Write out and transcribe characters pronounced "shi":

1）（　　　　）＿＿＿＿＿＿

2）（　　　　）＿＿＿＿＿＿

3）（　　　　）＿＿＿＿＿＿

4) （　　　　　）＿＿＿＿＿＿＿＿＿

5) （　　　　　）＿＿＿＿＿＿＿＿＿

6) （　　　　　）＿＿＿＿＿＿＿＿＿

3. 把带有"亻"旁的字填在下面的空白内：

Write characters with 亻 in the blanks:

亻：＿＿＿＿＿＿　＿＿＿＿＿＿

　　＿＿＿＿＿＿　＿＿＿＿＿＿

　　＿＿＿＿＿＿　＿＿＿＿＿＿

　　＿＿＿＿＿＿　＿＿＿＿＿＿

第二十课　Lesson 20

一、汉字知识　**Notes on Chinese characters**：

汉字的偏旁（十）**The** *sides*（10）：

1. 纟　绞丝旁（jiǎosīpáng）The "*floss silk side*"

"纟"表示丝线的形状。多用在字的左边。如：

It comes from an ancient character which symbolizes floss silk. This *side* occurs on the left of a character. Examples：

纸　经　纪

2. 寸　寸字旁（cùnzìpáng）The "*inch side*"

如：

Examples：

封　对

3. 宀　宝盖儿头（bǎogàirtóu）The "*roof top*"

"宀"表示屋顶的形状，常用在一个字的上边。如：

宀 comes from an ancient character which is like an arch or roof. It occurs at the top of a character. Examples：

字　客　寄

4. 舟　舟字旁（zhōuzìpáng）The "*boat side*"

"舟"是船的意思，作为偏旁多用于与航行有关的字。如：

舟 meaning ship or boat, is used as a *side* in characters related to navigation. Examples：

航　船

二、生字表　**Table of new characters**：

1	寄	宀（丶　丷　宀）		qí
		奇	大（一　ナ　大）	
			可（一　口　可）	

2	信	亻					
		言					yán words
3	航	舟(ʼ 丿 冂 丹 舟 舟)					zhōu
		亢	亠				
			几				
4	空	宀(丶 丷 宀)					
		工					
5	平	一 丷 二 平 平					
6	封	圭(一 十 土 圭)					
		寸(一 十 寸)					cùn
7	纪	纟					
		己(フ コ 己)					jǐ
8	念	今					
		心					
9	票	西					
		示(一 二 〒 亓 示)					shì
10	套	大					
		镸(一 厂 F 丰 镸 镸)					
11	箱	竹					
		相					xiāng

12	里	丶 口 曰 曰 旦 甲 里	
13	旁	亠（丶 亠 亠 产 产 产）	
		方（丶 亠 宁 方）	fāng
14	谢	讠	
		身（' 亻 亻 自 自 身 身）	
		寸（一 十 寸）	

三、阅读　Read the following:

（一）

寄　　寄平信　　寄航空信　　寄书　　寄杂志
信　　平信　　　航空信　　　写信　　寄信
　　　信封　　　信纸　　　　信箱

内（nèi inside）

　　　国内　　院内　　校内　　班内　　车内　　房间内

套　一套邮票　　　一套纪念邮票　　两套衣服

还是　你去还是他去？　你去寄信还是去寄书？

　　　他去邮局还是去商店？

（二）

　　我们学校小卖部的南边儿有一个邮局，我们在那儿寄信、寄书。那儿有很多种纪念邮票。买一套还是买一套里的一张，都可以。邮局里有一个信箱，寄信很方便（fāngbiàn convenient）。那儿还卖杂志和画报，有中文的，也有外文的。可是（but）那儿不卖报纸。你想买报纸，可以上学校南边的一个小书店去买。

四、练习　Exercises:

1. 给下列画线的字注音：

Transcribe the underlined characters:

1）我买了一个照相机。（　　　　　　）

2）他想买一套纪念邮票。（　　　　　　）

73

3) 邮局有两个信箱。(   )
4) 小明去图书馆还书。(   )
5) 你借书还是还书? (   )(   )

2. 把"等"、"笔"、"箱"适当地填在下列空白里:
   Fill in the blanks with 等 , 笔 **or** 箱:
   1) 请问,信(   )在哪儿?
   2) 请问,哪儿卖钢(   )?
   3) 小明,你在(   )谁的电话?

第二十一课　Lesson 21

一、汉字知识　Notes on Chinese characters：

汉字的偏旁（十一）The *sides*（11）：

1. 扌　提手旁（tíshǒupáng）The "*hand side*"

"扌"表示手的形状，在字的左边。如：

"扌" originates from an ancient character which symbolizes the hand and it is used on the left of a character. Examples：

报　换

2. 攵　反文旁（fǎnwénpáng）The "*tapping side*"

用在字的右部。如：

It occurs on the right of a character. Examples：

数　收

3. 彳　双立人旁（shuānglìrénpáng）The "*double standing-person side*"

用在字的左部。如：

It is used on the left of a character. Examples：

行　很

二、生字表　Table of new characters：

1	换	扌（一　十　扌）	
		奂（ノ　ク　ク　午　午　免　奂）	
2	币	一	
		巾（丨　冂　巾）	jīn
3	牌	片（ノ　ノ'　ノ'　ナ　片）	
		卑（ノ　ク　白　白　白　角　鱼　卑）	bēi

4	万	一 丁 万								
5	千	ノ 二 千								
6	百	一 丆 百								
7	价	亻								
		介(ノ 人 介 介)								jiè
8	填	土								
		真(一 十 广 亡 亡 亡 亡 直 真 真)								zhēn
9	表	一 二 三 丰 圭 声 表 表							
10	数	娄								
		攵(ノ 广 仁 攵)								
11	银	钅								
		艮(フ ヨ ヨ 尸 尽 艮)								
12	行	彳(ノ 彳 彳)								
		亍(一 二 亍)								
13	民	一 弓 弓 尸 民								

三、阅读　Read the following:

杰克(Jiékè)：朋子,你去哪儿?

朋子：我去旅馆(lǚguǎn hotel)看我妈妈的一个朋友,你去哪儿?

杰克：我去银行换钱。

朋子：下午我也要去银行。

杰克：现在去吧,我们一块儿去。

朋子：好! 你知道今天的牌价是多少吗?

杰克：不知道，我们去银行看看。

朋子：换人民币是不是还要填一张表？

杰克：是。你看，银行到了！

四、练习　Exercise：

给下列汉字注音，并各组一个词语：

Transcribe the following characters and give words containing them：

1. 数（　　　　）_____

2. 楼（　　　　）_____

3. 图（　　　　）_____

4. 圆（　　　　）_____

5. 青（　　　　）_____

6. 请（　　　　）_____

7. 气（　　　　）_____

8. 汽（　　　　）_____

第二十二课　Lesson 22

一、汉字知识　Notes on Chinese characters：
汉字的偏旁（十二）　The *sides*（12）：

1. 女　女字旁（nǚzìpáng）The "*female side*"

多在字的左边。如：

In most cases this *side* comes on the left of a character. Examples：

妈　姐　她

有的在字的下部,但这种情况不太多。如：

There are a few characters in which 女 is at the bottom. Examples：

要　耍

2. 月　肉月旁（ròuyuèpáng）The "*flesh side*"

"月"表示肉片的形状,用肉片来表示和肉有关的意思。多在一个字的左边。如：

This *side* comes from an ancient character which means sliced meat to indicate, in a character, something related to flesh. It occurs mostly on the left of a character. Examples：

胖　朋

也有的在下边的,但比较少,如：

In rare cases, 月 is at the bottom of a character. Examples：

臂　胃

"月"在右边是"月亮的意思",但用得较少。如：

There are a few cases in which 月 appears on the right, meaning "moon". Examples：

明　期

3. 山　山字头（shānzìtóu）The "*mountain side*"

如：

Examples：

岁　出

4. 犭　犬字旁（quǎnzìpáng）The "*dog side*"

78

古字"犭"像狗蹲着的样子,有犬字旁的字多与走兽有关,例:狗(gǒu)、猫
(māo),但不都是这样。如:

This *side* stems from an ancient character symbolizing a squatting dog. Characters
with this *side* are mostly related to animals，e.g. 狗(gǒu dog)，猫(māo cat)．
But it doesn't always hold true. Examples:

猜　独

二、生字表　Table of new characters：

1	叔	朩（卜　上　朩）
		又（フ　又）　　　　　　　　　　　　　　yòu
2	阿	阝
		可
3	姨	女
		夷（一　二　三　弖　夷　夷）　　　　　yí
4	岁	山（丨　山　山）
		夕（丿　夕　夕）
5	真	直（一　十　广　市　古　肖　肖　直）　zhí
6	高	亠
		口
		冋（丨　冂　冋）
7	胖	月（丿　刀　月　月）
		半　　　　　　　　　　　　　　　　　bàn
8	王	一　二　干　王
9	重	一　二　二　亡　亩　盲　盲　重　重

10	公	八（ノ　八）
		厶（乙　厶）
11	斤	´　厂　厂　斤
12	先	生（ノ　 ˊ　 ⼗　生）
		儿
13	猜	犭（ノ　犭　犭）
		青
14	米	丶　 ⺀　 ⺊　半　米

三、阅读　Read the following:

（一）

多　　　多高了？　　多重了？　　多大了？
猜　　　你猜他多高了？　你猜我多重了？　你猜他多大了？
先生　　张先生　　王先生　　老先生

（二）

　　星期一下午，我在运动场上看球赛。我前边有几个小朋友。他们看球的时候，叫(jiào to shout)啊，喊(hǎn to cry)啊。"好球！""好！"

　　我问(wèn to ask)一个小朋友："小朋友，你叫什么名字？"

　　"我叫小明。"

　　"你多大年纪了？"

　　小朋友们说："不对！不对！"

　　小明说："问老年人，这么问。我们是小学生，你应该(yīnggāi should)问'你几岁了？''你十几了？'"

　　"我可以说'你多大了'吗？"我问。

　　"可以！可以！"小明说，"我九岁了。他是我朋友，叫文文。"

　　"阿姨好！"文文说。

　　我问他："文文，你多重？"

　　小明说："他真胖。我们也叫他胖胖。你猜猜他多重？"

我说:"六十斤?"

"不对！他八十四斤！"

"文文,你真是一个小胖胖!"

四、练习　Exercises:

1. 请给下列汉字注音,并组一个词或短语:

Transcribe the following characters and give words or phrases containing them:

1) 青(　　　)_____　　　4) 妈(　　　)_____

2) 请(　　　)_____　　　5) 吗(　　　)_____

3) 猜(　　　)_____　　　6) 码(　　　)_____

2. 写出带"言字旁"的汉字,并注音:

Write out characters with the "*speech side*" and transcribe them:

讠⎰(　　　)_____　　　_____(　　　)⎱言
　⎨(　　　)_____　　　_____(　　　)⎬
　⎱(　　　)_____　　　_____(　　　)⎰

第二十三课　Lesson 23

一、汉字知识　Notes on Chinese characters：

汉字的偏旁(十三)　The *sides*（13）：

1. 广　广字头(guǎngzìtóu) The "*covering top*"

如：

Examples：

床　店　应

2. 孑（子）　子字旁(zǐzìpáng)The "*posterity side*"

如：

Examples：

学　孩

3. 车　车字旁(chēzìpáng) The "*vehicle side*"

"车"字是由"車"字简化来的。"車"的古字是车轮的形状。用偏旁"车"的字多与车有关。如：

车 is simplified from 車 which stems from an ancient character symbolizing wheels of a cart. Characters with 车 are mostly related to vehicles in meaning.

Examples：

轻　辆

二、生字表　Table of new characters：

1	哈	口	
		合（八　合　合）	hé
2	笑	竹	
		天	
3	孩	孑	
		亥	hài

82

4	对	又（フ　又）	yòu
		寸	
5	应	广（丶　一　广）	
		业（丶　丷　业）	
6	该	讠	
		亥	
7	呢	口	
		尼（尸　尸　尼）	ní
8	或	一　口　戸　或　或	
9	者	耂	
		日	
10	轻	车（一　七　车　车）	chē
		圣（ア　ス　圣　圣　圣）	
11	女	𰀁　乡　女	
12	龄	齿（一　上　止　止　步　齿　齿）	
		令（丿　人　𠆢　今　令）	lìng
13	般	舟	
		殳（丶　几　殳）	
14	休	亻	
		木（一　十　才　木）	mù
15	息	自（丿　亻　白　白　自　自）	zì
		心	

三、阅读　Read the following：

（一）

或者　　星期日你可以看电影或者去看朋友。

　　　　我星期一或者星期五去邮局。

一般　　一般的大学　一般的医院

　　　　我们一般下午不上课。

应该　　在中国，你应该多说汉语。

　　　　今天他病（bìng ill）了，没来上课，我们应该去看看他。

（二）

　　上星期日，我去张老师家了。那天，张老师、她的爱人（àiren husband or wife）、她的女儿（daughter）都（dōu all）在家。我想我应该跟（gēn with）他们说汉语。我不认识张老师的爱人和女儿。我问："您贵姓？"张老师的爱人说："我姓常！""呵！先生常，您在哪儿工作？"这时候，他们都"哈！哈！哈！"地笑了。张老师说："在你们的语言里是说'先生张''先生王'，但是（dànshì but）在汉语里应该说张先生、王先生。""我知道了，不是'先生常'，应该是常先生。常先生，您在哪儿工作？""我在北京大学中文系工作。"常先生说。"那么，我也可以叫您常老师，是吗？""对！叫我常先生或者常老师都可以。同事（tóngshì colleague）们一般都叫我老常。"

　　我问张老师的女儿："你姓张还是姓常？""我姓常！""常小姐，你上中学了吗？"他们又（yòu again）笑了。"不对吗？"我问。常老师说："中国人叫小孩儿，只（zhǐ only）叫他们的名字。""我叫常小同。爸爸、妈妈、老师、同学都叫我小同。"

　　我该回学校了。我跟张老师、常老师、小同说："再见！谢谢你们！"

四、练习　Exercises：

把下列汉字适当地填入各句的空白中：

Fill in the blanks with the following characters：

1．典　点　店　电

　1）你的＿＿＿话号码是多少？

　2）星期日我想去书＿＿＿买一本字＿＿＿。

　3）现在差一刻五＿＿＿。

2. 青　轻

1) 我有很多____年朋友。

2) 问年____人应该问"你多大了?"

第二十四课　Lesson 24

一、汉字知识　Notes on Chinese characters：

汉字的偏旁（十四）　The *sides* (14)：

1. 冫　两点水旁（liǎngdiǎnshuǐpáng）The "*two-drops-of-water side*"

"冫"表示冰块的形状，有冷的意思。如：

This *side* comes from an ancient character indicating ice lumps implying coldness. Examples：

冰　冷

2. 冖　秃宝盖儿（tūbǎogàir）The "*cover top*"

如：

Example：

写

3. 𠂉　卧人头（wòréntóu）The "*lying person top*"

如：

Examples：

午　年　复

4. 艹　草字头（cǎozìtóu）The "*grass top*"

"艹"出现在字的上方。如：

This *side* comes at the top of a character. Examples：

节　花

二、生字表　Table of new characters：

1	广	、　一　广		
2	播	扌 一　采　番		

3	刚	冈						gāng
		刂						
4	才	一	十	才				
5	打	扌						
		丁（一　丁）						dīng
6	复	𠂉（丿　𠂉）						
		日						
		夂（丿　𠂇　夂）						
7	汉	氵						
		又（フ　又）						yòu
8	考	耂						
		𠃌（一　𠃌）						
9	试	讠						
		式（一　二　式　式）						shì
10	写	冖（丶　冖）						
		与（一　与　与）						
11	准	冫（丶　冫）						
		隹（亻　亻　伫　伫　隹　隹）						
12	备	夂（丿　𠂇　夂）						
		田（丨　冂　日　田　田）						tián
13	第	竹						
		弟（丷　丷　弓　弔　弟）						
14	节	艹（一　十　艹）						
		卩（フ　卩）						

三、阅读　Read the following:

（一）

广播　　中文广播　　英文广播　　听广播
　　　　他常听新闻（xīnwén news）广播。
准备　　准备考试　　准备上课　　准备听录音
刚才　　刚才我打球了。
　　　　他们刚才复习课文了。
　　　　你刚才考试了吗？

（二）

A：（到 B 宿舍来）你在听广播吗？

B：不，我正在听录音呢。你有事（shì matter）吗？

A：没有。我刚才复习了第十八、十九、二十课。现在想休息，我们一块
　　儿去打球，行吗？

B：不行。后天考试，今天和明天我要写汉字，念课文，做（zuò to do）
　　练习。

A：我想我们应该准备考试，也应该注意（zhùyì to pay attention）休息。

B：对！现在五点！我也该休息了，晚上再学习。

四、练习　Exercises：

1. 给下列带点的汉字拼音，讲讲每组中两个带点汉字的共同点和区别：
   **Transcribe the dotted characters and tell the similarity and difference of the two
   dotted characters in the same group:**

   1）银行　　（　　　　　　　）
   　　行不行（　　　　　　　）
   2）小卖部（　　　　　　　）
   　　买东西（　　　　　　　）
   3）等汽车（　　　　　　　）
   　　第三课（　　　　　　　）

2. 分析下列汉字的偏旁：
   What are the *sides* of the following characters?

   1）多、外、名（　　　　　）　　　4）般（　　　　　　）
   2）起（　　　　　）　　　　　　　5）空（　　　　　　）
   3）牌（　　　　　）　　　　　　　6）毕（　　　　　　）

88

第二十五课　Lesson 25

一、汉字知识　Notes on Chinese characters：

汉字的偏旁（十五）　The *sides*（15）：

1. 巾　巾字旁（jīnzìpáng）The "*kerchief side/bottom*"

   "巾"作为偏旁一般在字的左边，有时在字的下边，如：

   As a *side*，巾 usually occurs on the left or at the bottom of a character．Examples：

   帖　币　帮

2. 忄　竖心旁（shùxīnpáng）The "*heart side*"

   带有"忄"的字多是表示人的心理状态。如：

   Characters with this *side* usually have something to do with human feelings or mentality．Examples：

   懂　情

3. 力　力字旁（lìzìpáng）The "*strength side/bottom*"

   力字旁多在字的右边或下边。如：

   This *side* occurs on the right or at the bottom of a character．Examples：

   动　助　努

二、生字表　Table of new characters：

1	互	一　丆　万　互	
2	帮	邦（一　⁼　三　丰　邦）	bāng
		巾（丨　冂　巾）	
3	完	宀	
		元	yuán
4	到	至（一　丆　厶　至）	zhì to reach
		刂	

5	问	门（丶 冂 门）	mén
		口	
6	题	是	
		页（一 丆 厂 页 页）	yè
7	助	且（丨 冂 目 目 且）	
		力（丆 力）	
8	意	立（丶 二 亠 立 立）	
		日（丶 冂 日 日）	
		心	
9	思	田	
		心	
10	页	一 丆 厂 页 页	
11	用	丿 冂 月 月 用	
12	告	生（丿 仁 牛 生）	
		口	
13	诉	讠	
		斤（丿 厂 斤 斤 斤）	
14	懂	忄（丶 忄 忄）	dǒng
		董 艹	
		重（丿 二 亩 重 重）	
15	架	加（力 加）	jiā
		木	

90

三、阅读 Read the following:

（一）

完　看完书了。听完新闻了吗？学完二十四课了。
　　写完汉字了。上完课了。吃完饭了。吃完晚饭了吗？
　　我没看完。我还没看完呢。

到　今天复习到第二十课。学到第二十五课。

懂　昨天的电影你看懂了吗？他没听懂那个大夫的话。

告诉　请你告诉我这个词是什么意思。
　　老师告诉我们后天第一二节考试。

（二）

（晚上 B 去 A 的宿舍。）

B：你复习到第二十二课了吗？

A：还没有呢！

B：我有一个问题，想问问你。

A：我们互相帮助吧。

B：你看第二十二课的生词。

A：第几页？

B：第一百二十三页，第十四个，"或者"是什么意思？怎么用？

A：你看书上的解释（jiěshì explanation）了没有？

B：看了，没看懂。

A：我也不知道"或者"和"还是"有什么区别（qūbié difference），怎么用。上课的时候，老师讲（jiǎng to explain）到了，我也没听懂。

（这时候，老师敲门，进来了。）

老师：你们在复习吗？

A：　老师，我们有一个问题。

B：　"或者"这个词我们还不懂。老师，您可以讲讲吗？

老师：可以，请你们打开（dǎkāi to open）书，第一百二十六页。看这里，这段（duàn paragraph）话回答了你们的问题。这段话的意思是
　　……

四、练习 Exercises：

1. 比较下列各组字的区别，并各组一个词：

Find out the difference between each pair of characters and give words containing them：

1) { 气 _____
   { 汽 _____

5) { 楼 _____
   { 数 _____

2) { 回 _____
   { 同 _____

6) { 经 _____
   { 轻 _____

3) { 孩 _____
   { 该 _____

7) { 钢 _____
   { 刚 _____

4) { 者 _____
   { 都 _____

2. 分析下列汉字的偏旁

Write the *sides* of the following characters in the brackets：

1) 题 (   )   4) 码 (   )

2) 高 (   )   5) 贵 (   )

3) 套 (   )   6) 照 (   )

92

第二十六课　Lesson 26

一、汉字知识　Notes on Chinese characters：

汉字的偏旁（十六）　The *sides*（16）：

1. 禾　禾字旁（hézìpáng）The "*standing grain side*"

   如：

   Examples：

   和　利

2. 衤　衣字旁（yīzìpáng）The "*clothing side*"

   "衤"由"衣"演化而来，用"衤"作偏旁的字，多与衣服、被褥等有关。如：

   衤 comes from 衣（clothing）and characters with 衤 are related to clothing and bedding in meaning. Examples：

   被　衫（shān）

3. 革　革字旁（gézìpáng）The "*leather side*"

   如：

   Examples：

   鞋　靴

二、生字表　Table of new characters：

1	和	禾（ 一　二　千　禾　禾 ）	hé
		口	
2	整	敕 束（ 一　口　申　束　束 ）	
		攵	
		正（ 一　丅　丆　正　正 ）	zhèng
3	洁	氵	
		吉（ 一　十　士　吉 ）	jí

93

4	干	一 二 干	
5	净	冫	
		争(⺈ ⺈ ⺈ ⺈ 争 争)	zhēng
6	脏	月	
		庄(广 庄)	
7	土	一 十 土	
8	被	衤(丶 ⺊ 衤 衤 衤)	
		皮(一 厂 广 皮 皮)	pí
9	枕	木	
		尤(丶 ⺌ 尢 尤)	
10	头	丶 二 三 头 头	
11	衣	丶 亠 广 衤 衣 衣	
12	服	月	
		𠨱(⺈ 𡗗 𠨱)	
13	双	又	
		又	
14	鞋	革(一 ⺷ ⺷ 苫 苫 革)	
		圭(土 圭)	
15	只	口	
		八	
16	爱	⺥(丶 ⺀ ⺀ ⺥)	
		⼍(丶 ⼍)	
		友	

94

三、阅读 Read the following：

（一）

里　　房间里　　屋子里　　宿舍里
上　　书架上　　桌子上　　床上　　　地上
下　　书架下　　桌子下　　床下
很　　很好　　很大　　很小　　很多　　很干净　　很整洁

（二）

昨天老师来我的宿舍，帮助我学习。学习完了，他看看（to look）我的宿舍说："很好，你的宿舍很干净，东西都很整洁。你很爱干净啊！"我说："老师，我以前（yǐqián before）不爱干净，宿舍里很脏，书架上和桌子上都是土，被子、枕头也很脏。床下还有脏衣服和鞋，鞋也是东边一只，西边一只。""现在你怎么这么爱干净了？"老师问。这时候，汉斯来了，他听到老师问的问题，马上（mǎshàng at once）说："老师，我知道。上星期日他收（shōu to receive）到一封电子邮件（diànzǐ yóujiàn，e-mail），他的女朋友这星期来北京。这两天，他……"老师笑了，他说："我明白（míngbai clear）了。那么，女朋友走（zǒu to leave）了呢？"

四、练习　Exercises：

1. 给下列带点的汉字注音：

Transcribe the dotted characters：

1）你去图书馆还书吗？（　　　　　）

2）我还没有去呢。（　　　　　）

3）今天我们都去首都剧场吗？（　　　　）（　　　　）

4）我们的医院不大，那里的大夫都很好。（　　　　）（　　　　）

5）明天我们一块儿去银行行不行？（　　　　）（　　　　）

2. 将下面的词译成英语：

Translate the following words into English：

1）商店　　　　　　　　　　4）鞋店

2）书店　　　　　　　　　　5）文具店

3）服装店

第二十七课　Lesson 27

一、汉字知识　Notes on Chinese characters：

汉字的偏旁（十七）　The *sides* (17)：

1. 户　户字头(hùzìtóu) The "*door-leaf top*"

　　如：

　　Examples：

房　扇　启

2. 尸　尸字头(shīzìtóu) The "*image top*"

　　如：

　　Examples：

屋　局　层

3. 礻　示字旁(shìzìpáng) The "*worship side*"

　　如：

　　Examples：

礼　社　视

二、生字表　Table of new characters：

1	介	人			
		川（ノ　川）			
2	绍	纟			
		召（刀　召）			zhào
3	放	方（丶　一　宁　方）			fāng
		攵			
4	答	竹			
		合（ノ　人　△　合）			hé

5	班	王	
		丿（丶 丿）	
		王	
6	关	丷	
		天	
7	咖	口	
		加（力 加）	jiā
8	啡	口	
		非（丿 丿 扌 扌 非 非 非 非）	fēi
9	牛	丿 一 二 牛	
10	奶	女	
		乃（丿 乃）	nǎi
11	啤	口	
		卑	
12	酒	氵	
		酉（一 厂 斤 丙 丙 酉 酉）	yǒu
13	皮	一 厂 广 皮	
14	件	亻	
		牛	
15	衬	衤（丶 ㇇ 衤 衤）	
		寸	
16	衫	衤	
		彡	

三、阅读　Read the following:

（一）

介绍　　我介绍一下。请你介绍一下。
　　　　那是什么地方,你可以介绍一下吗?

放　　　我的词典你放在哪儿了?
　　　　啤酒、可乐(kělè cola)请放在这儿,咖啡、牛奶请放在那儿。

回答　　请你回答她的问题。
　　　　我有几个问题问老师,老师都回答了。

一下儿　介绍一下儿　看一下儿　听一下儿　练习一下儿　放一下儿
　　　　来一下儿

（二）

（汉斯去安娜的宿舍。）

汉:怎么样? 休息一下儿! 今天汉语考完试了,应该休息一下儿了。

安:我们去吃点儿东西,好吗?

汉:好。

（他们到了冷热饮店。）

汉:坐这儿吧,这儿干净。

安:什么东西放在椅子上? 哦,一个皮包(píbāo leather handbag),这是谁的?

汉:没有人回答,放在这儿吧。你想喝点儿什么?

安:咖啡和牛奶,你呢?

汉:想喝点儿啤酒。你不要喝点儿汽水吗?

安:不要了。

（这时,约翰也来了。）

安:约翰,你也来了! 我介绍一下儿,这是我们班的同学汉斯,这是……

汉:我们认识,他是我的同屋。

约:对不起,我来拿(ná to take)皮包。这个皮包是我的。

四、练习　Exercises:

1. 分析下列汉字的偏旁,并说出偏旁的位置:

Find the *sides* of the following characters and tell the positions of the *sides*:

1）坐　在　填　堂　城　地　块　去

2）部　邮　院　际　都

98

2. 写出包括下列字素的汉字：

Write out characters containing the following components：

1）门＿＿＿＿＿＿ ＿＿＿＿＿＿ ＿＿＿＿＿＿

2）见＿＿＿＿＿＿ ＿＿＿＿＿＿ ＿＿＿＿＿＿

第二十八课　Lesson 28

一、汉字知识　**Notes on Chinese characters：**

汉字的偏旁（十八）　**The *sides*（18）：**

1. 灬　火字底（huǒzìdǐ）The "*fire bottom*"

"灬"表示火焰的形状，多在一个字的下边。如：

This *side* comes from an ancient character symbolizing flames. It is used chiefly at the bottom of a character. Examples：

点　黑

2. 疒　病字头（bìngzìtóu）The "*sickness top*"

"疒"在古字中好像人有病卧床的样子，表示人身体不适。如：

疒 comes from an ancient character symbolizing a sick person lying in bed and so it means sickness. Examples：

瘦　病

3. 贝　贝字旁（bèizìpáng）The "*treasure side / bottom*"

"贝"字在古代是金钱、财宝的意思。一般在字的左边或底下，如：

贝 means shells which, in ancient times, were used as money and so it carries the meaning of valuables. As a *side*, it occurs on the left or at the bottom of a character. Examples：

财　货　贵

4. 页　页字旁（yèzìpáng）The "*head side*"

如：

Example：

颜

二、生字表　**Table of new characters：**

1	合	人
		一
		口

100

2	适	舌 辶	
3	黑	里（丶 一 冂 曰 曰 甲 甲 里）	
		灬（丶 丶丶 灬 灬）	
4	黄	艹 由（丨 冂 曰 由 由）	yóu
5	便	八 亻 更（一 一 冂 冃 亘 更 更）	
6	宜	宀 且（丨 冂 日 月 且）	qiě
7	蓝	艹 监	收（丨 丨 业 业 收）	
			皿（丨 冂 皿 皿 皿）	mǐn
8	短	矢（丿 一 二 午 矢）	
		豆（一 一 日 豆 豆）	dòu
9	肥	月 巴（一 冂 巴 巴）	
10	白	丿 亻 冂 白 白	
11	瘦	疒（丶 一 广 广 疒） 叟	申（丨 丨 叩 臼 申）	
			又（一 又）	sǒu

101

12	红	纟
		工
13	颜	彦 (亠 立 产 彦 彦)
		页 (一 丆 丆 页 页 页)
14	色	勹 (丿 勹)
		巴
15	深	氵
		罙 (丶 宀 罙 罙 罙)
16	浅	氵
		戋 (一 二 𢧐 戋 戋)

三、阅读　Read the following:

（一）

颜色　　深色　浅色　蓝色　黄色　咖啡色　红色　白色
　　　　深蓝色　浅蓝色
合适　　这件衬衫合适。　这双皮鞋不合适。

（二）

　　昨天我去买衬衫和毛衣(máoyī woolen sweater)。我看到一个大商店,进去看了看(to have a look)。那儿有很多不同(bùtóng different)颜色的衬衫,样子也有很多种,可是,我试了几件,有的太长,有的太短。我就到别的商店去了。

　　有一个商店有一种浅黄色的毛衣,样子很好。我问售货员:"多少钱一件?""二百八十块。"我觉得(juéde to feel; to think)太贵了。

　　我看见这个商店的对面(duìmiàn opposite)还有一个商店,就进去看。这个商店不太大,可是东西很多。我要了一件浅蓝色的衬衫和一件红色的毛衣。我试了试(to have a fitting),很合适,不肥也不瘦,不长也不短。这儿的售货员也很客气。她说:"您看这件白色的毛衣,怎么样? 样子也很好,是不是? 您喜欢(xǐhuan to like)吗?"我试了一下儿,也很合适。我看毛衣上边的价钱(jiàqian

102

price)很便宜,只(zhǐ only)要五十五块钱。

所以(suǒyǐ so),买东西应该多去几个商店。

四、练习　Exercises:

1. 写出包括下列偏旁的汉字,并注音:

Write out characters containing the following *sides* and transcribe them:

```
  _____                _____              _____
           } 木(木) {                  衤(衣) {
  _____                _____              _____
```

2. 写出下列形容词的反义词:

Give the antonyms for the following adjectives:

例 Example:多　少

1) 长_____　　　　5) 深_____

2) 大_____　　　　6) 黑_____

3) 肥_____　　　　7) 便宜_____

4) 干净_____　　　　8) 早_____

103

第二十九课　Lesson 29

一、汉字知识　Notes on Chinese characters:
汉字的偏旁（十九）　The *sides*（19）:

1. 𧾷　足字旁（zúzìpáng）The "*foot side / bottom*"

带有"𧾷"的汉字大都与脚的动作有关，常在汉字的左边和下边。如：

Characters with 𧾷 /足 mostly have something to do with movements of the feet in meaning. It often occurs on the left or at the bottom of a character. Examples:

跟　跑　跳

2. 辶　走之旁（zǒuzhīpáng）The "*hurrying side*"

带有"辶"的汉字一般与人的行走有关。如：

characters with 辶 are usually related to "walking" in meaning. Examples:

进　适

3. 立　立字旁（lìzìpáng）The "*standing still side*"

带"立"的字大多有直立不动的意思。如：

Most characters with 立 imply "stand still" in meaning. Examples:

站

二、生字表　Table of new characters:

1	从	𠆢								
		人								
2	装	壮（丶　冫　丬　壮）								zhuàng
		衣								
3	遇	禺（丿　冂　冂　日　日　禺　禺　禺）								yú
		辶								

4	啊	口	
		阿（阝　阿）	
5	离	卤（ㄨ　ㄨ　卤）	
		内（丨　冂　内　内）	
6	远	元	yuán
		辶	
7	跟	足（口　甲　甲　足）	
		艮	
8	近	斤	jīn
		辶	
9	站	立（丶　二　六　亠　立）	
		占（丨　卜　占）	zhàn
10	售	隹（亻　亻　仁　佳　佳　隹）	
		口	
11	员	口	
		贝	
12	往	彳	
		主	
13	出	凵　凵　屮　出　出	
14	比	比（一　比）	
		匕（丿　匕）	
15	较	车（一　七　车　车）	
		交（丶　二　六　六　亠　交）	

16	租	禾
		且

三、阅读　Read the following:

(一)

离　　我们宿舍离食堂很近。　　这儿离商店不太远。
　　　我们的教室(jiàoshì classroom)离图书馆比较远。

从　　他从英国来北京。　小明从邮局出来了。　你从哪儿来?

跟　　张老师跟我们一起去照相。
　　　我们跟老师们一起去看话剧。

(二)

　　高英从服装店出来,遇见了她的朋友张志。"张志,你好! 来买东西吗? 你看,我买的这件衬衫和这件毛衣怎么样?""真漂亮! 现在你要回去吗?""对,我有点儿累(lèi tired)了,你呢?""我想去书店买两本书。书店离这儿不远,你跟我一起去看看吧!""好吧,坐出租汽车去吗?""不用,那么近,还是坐公共汽车好。前边有一个车站,很近。""公共汽车上人太多了。""没关系,咱们都是青年人,走(zǒu to go)吧!""好! 走!"

四、练习　Exercises:

1. 从阅读(二)中,找出哪是高英说的话,哪是张志说的话:
   Single out from the above story Gao Ying's words and Zhang Zhi's words:

2. 写出带有"口"字旁的汉字,并注意偏旁的位置:
   Write out characters containing 口,paying attention to the different positions of 口:

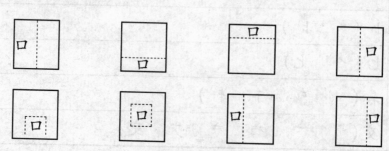

3. 将下列词组翻译成英语：

Translate the following phrases into English:

1) 一套书
2) 一套服装
3) 一套桌椅
4) 一套邮票

第三十课　Lesson 30

一、汉字知识　Notes on Chinese characters：

汉字的偏旁（二十）　The *sides*（20）：

1. 门　门字框（ménzìkuàng）The "*door frame*"

   如：

   Examples：

   问　闻

2. ⺌、⺍　尚字头（shàngzìtóu）The "*still top*"

   如：

   Examples：

   常　堂

二、生字表　Table of new characters：

1	谈	讠					
		炎（丶　丷　丷　少　炎）					yán
2	铁	钅					
		失（丿　⺁　⺧　失　失）					
3	挤	扌					
		齐（丶　亠　亣　文　齐）					qí
4	走	十　土　キ　丰　走　走					
5	过	寸					
		辶					
6	路	𧾷（口　甲　𮾕　𧾷　𧾷）					
		各（丿　夂　夂　各）					

7	拐	扌 另
8	直	一　十　广　古　古　盲　盲　直
9	最	日 取（一　厂　厅　耳　耳　耳　取）
10	座	广 坐
11	位	亻 立（丶　二　立　立）
12	快	忄 夬（フ　ユ　夬　夬）
13	演	氵 寅　宀 夷（一　ㄱ　戸　百　両　雨　夷）
14	送	关（丶　丷　关　兰　关　关） 辶
15	马	フ　马　马
16	开	一　二　开　开

三、阅读　Read the following：

（一）

最　　最好　最快　最高　最贵　最便宜　最年轻

快　　快进去　快走　快回答　快写　快准备　快来

快要考试了。　快要开演了。　他妈妈快要来中国了。

他快要回国了。　新年快要到了。

109

（二）

1

杰　克(Jiékè)：我朋友送给(gěi to give)我三张四点的电影票,还有三十五分钟
　　　　　　　开演。咱们一块儿去吧!

大　平：哪个电影院? 什么电影?

杰　克：首都电影院,一个新电影。名字我忘(wàng to forget)了。

万　斯：去首都电影院怎么走? 坐地铁吗? 往东还是往西?

大　平：叫出租汽车吧,好吗?

杰　克：不要问这么多问题了, 快要开演了, 快走吧!

万　斯：公共汽车来了,不过太挤了,上吗?

杰　克：上! 快,过马路!

2

服务员(fúwùyuán)：　你们的票呢?

杰　克：这儿,三张!

服务员：你们看错(cuò mistaken)了,这是北京电影院的。

万　斯："北京"在哪儿? 往哪儿走? 坐车吗?

服务员：(笑了)从这儿往南走,一刻钟就到了。

大　平：谢谢!

杰　克：谢谢!

3

杰　克：小姐,我们的票!

服务员：你们怎么刚来啊? 你们看错时间了吧!

万　斯：怎么呢?

服务员：你们看,票上写的是十四点。

大　平：啊,下午两点! 我们晚了。

万　斯：我们往回走吧,回去吧。

服务员：等一下儿,四点三十分还有一场。你们看不看? 我帮你们换一下票。

万　斯：有座位吗?

服务员：有,有,看吗?

杰克、万斯、大平：看! 看! 谢谢你!

四、练习　Exercises：

1. 写出包括下列字素的汉字：

Write out characters containing the following components：

1) ─────────────── } 主   2) ─────────────── } 艮

2. 给下列汉字注音：

Transcribe the following characters：

1) { 走 ───────────
   { 是 ───────────

2) { 以 ───────────
   { 从 ───────────

3) { 快 ───────────
   { 块 ───────────

4) { 午 ───────────
   { 年 ───────────

5) { 坐 ───────────
   { 座 ───────────

6) { 价 ───────────
   { 介 ───────────

第三十一课　Lesson 31

一、汉字知识　Notes on Chinese characters：

汉字的偏旁（二十一）　The *sides*（21）：

1．示　示字底（shìzìdǐ）The "*worship bottom*"
　　如：
　　Examples：

　　　票　禁

2．亠　六字头（liùzìtóu）The "*above top*"
　　如：
　　Examples：

　　　京　六　旁　高　商　就

二、生字表　Table of new characters：

1	水	丿 刀 冰 水	
2	沓	水	
		日	
3	苹	艹（一 十 艹）	
		平（一 一 一 二 平）	píng
4	哦	口	
		我（丿 一 于 于 我 我 我）	
5	喂	口	
		畏（田 甲 甲 畏 畏）	wèi
6	喊	口	
		咸（一 厂 厂 厉 咸 咸 咸）	

112

7	哟	口		jiā(?)
		约	纟(ノ 纟 纟)	
			勹(ノ 勹 勹)	
8	劳	艹		
		冖(丶 冖)		
		力(フ 力)		
9	驾	加	力	jiā
			口	
		马(フ 马 马)		
10	糖	米(丶 ⺍ ⺌ 半 半 米)		
		唐(丶 广 广 庐 庐 庐 唐 唐 唐)		táng
11	琉	王(一 二 干 王)		
		㐬(丶 亠 云 产 产 㐬)		
12	璃	王		
		离(丶 亠 文 卤 卤 离 离 离)		lí
13	葡	艹		
		匍	勹	
			甫(一 厂 厂 厅 甬 甫 甫)	
14	萄	艹		
		匋	勹	
			缶(丶 ⺌ 亠 午 午 缶)	
15	街	彳		
		圭(土 圭)		
		亍(一 二 亍)		

三、阅读　Read the following：

（一）

谈（话）　　你跟谁谈话呢？

　　　　　　我们今天谈得很有意思。

方便　　　　在北京，坐公共汽车方便还是坐地铁方便？

　　　　　　我看，在北京骑自行车最方便。

快要……了　电影快要开演了。

　　　　　　他们快要大学毕业了。

　　　　　　快要上课了，我们快走吧。

就要……了　这个星期五我们就要学习第三十二课了。

　　　　　　火车七点半就要开了，你怎么还不走呢？

（二）

今天，首都剧场演《茶馆》，我们很想去看。汉斯的姐姐今晚十一点半就要坐飞机回国了，可是，她也很想跟我们一起看这个话剧。

上午十点，我和汉斯去买票。售票处（shòupiàochù ticket office）排着很长的队，汉斯想，我们来得太晚了。汉斯说："队太长了，我们明天再来吧。"我说："没关系，这个剧场比较大，座位很多，我们一定能买到票。只是（only）我们要多排一会儿队。"半小时以后，我们果然（guǒrán as expected）买到了票。

晚上，我们五个同学和汉斯的姐姐一起坐公共汽车去剧场。可是路上的车很多，走得很慢。我们下车的时候，差五分钟就要开演了。汉斯说："快走，要开演了，我们的座位在楼上二排四号到十四号。"

话剧快要完的时候，汉斯和他姐姐就跟我们告别（gàobié say good-bye）了。她说："谢谢你们，没有你们的帮助，我就不会看到这么好的话剧。"丁力说："回国以后来信啊！"我们都说："祝（zhù wish）你一路平安（yílù píng'ān Bon Voyage）！"

四、练习　Exercises：

1. 选择适当的词填空：

Fill in each blank with a character chosen from those given in the brackets：

1）你来了，请_____。（坐、座）

2）你_____在哪个_____位？（坐、座）

3）他_____火车站里去了。（近、进）

4）他家离火车站很_____。（近、进）

114

2. 请在下列方格中各填一个字素，使它与上、下、左、右的字素分别构成一个新字：

Write characters in the squares which can be combined with the given components to form new characters:

3. 谜语：

Riddles:

　　1）运动会都有它。　　　　　　（打一字 It is a character.）

　　2）只差两点。　　　　　　　　（打一字 It is a character.）

第三十二课　Lesson 32

一、汉字知识　Notes on Chinese characters：

汉字的偏旁（二十二）　The *sides*（22）：

夂　折文旁（zhéwénpáng）The "*variant foot* wén（文）*side*"

如：

Examples：

复　备　处

二、生字表　Table of new characters：

1	处	夂（ ノ 夕 夂 ）	
		卜 （ 丨 卜 ）	
2	排	扌	
		非	
3	火	、 丷 少 火	
4	忙	忄	
		亡（ 、 亠 亡 ）	wáng
5	定	宀	
		疋（ 一 丁 下 疋 疋 ）	
6	家	宀	
		豕（ 一 丆 丆 豕 豕 ）	shǐ
7	玩	王	
		元	

8	安	宀			
		女			
9	门	丶	丬	门	
10	口	丨	冂	口	
11	邻	令（人 今 令）			
		阝			
12	居	尸			
		古（一 十 古）			
13	傅	亻			
		甫（一 冂 甬 甫）			
		寸			
14	错	钅			
		昔			
15	顺	川（丿 刂 川）			
		页			
16	果	日 旦 甲 果			

三、阅读 Read the following：

（一）

门口儿　　家门口儿　学校门口儿　教室门口儿　商店门口儿
　　公园门口儿

忙　　　A：你最近忙吗？
　　　　B：我最近比较忙。
　　　　A：你忙什么呢？
　　　　B：要考试了，我忙着准备考试呢。

送　　　他送给张文很多水果。
　　　　这些画报我想送给他。
　　　　上午你去火车站送谁了？

117

　　　　　　我去送了几个朋友。
　顺便　　　星期日你进城吗？请顺便帮我买本汉英词典。
　　　　　　你什么时候进城来，请顺便到我家来玩玩。

（二）

　　张文的弟弟和妹妹今天到上海去了。朋子、丁力、汉斯和我都去火车站送他们了。我们是坐出租汽车去的。在路上，朋子说："你们看，这里水果真好，我们下去买些送给他们路上吃，好吗？"我们下了车买了几斤苹果。

　　火车站里人很多。朋子去买站台票(zhàntáipiào platform ticket)了，我们在门口等她。丁力说："我去买些点心(diǎnxin cake)来。""你顺便去汽车站看看张文他们来了没有。"汉斯说。

　　五分钟以后，朋子和丁力都回来了，可是还没看见张文他们。"走，进去吧，也许(yěxǔ perhaps)他们已经进去了。"汉斯说。我们到了站台，丁力第一个看见了张文他们。

　　朋子送给他们一些水果；丁力送点心；汉斯送了两支很不错的笔；我送他们两个人一人一套纪念邮票。张文和他的弟弟、妹妹说："太谢谢你们了！"他妹妹说："你们来上海旅行(lǚxíng tour)时，一定(yídìng be sure)去我们那儿！"

四、练习　Exercises：

1. 分析下列汉字的偏旁：

Write the *sides* of the characters in the brackets：

　　　　站（　　　　　）　　　店（　　　　　　）

　　　　拐（　　　　　）　　　别（　　　　　　）

　　　　该（　　　　　）　　　刻（　　　　　　）

　　　　起（　　　　　）　　　送（　　　　　　）

2. 给下列汉字注音拼写出一个包含这些汉字的词语：

Transcribe the following characters and give words containing them：

　　　　请＿＿＿＿＿＿（　　　　　　　）

　　　　猜＿＿＿＿＿＿（　　　　　　　）

　　　　填＿＿＿＿＿＿（　　　　　　　）

　　　　真＿＿＿＿＿＿（　　　　　　　）

第三十三课　Lesson 33

一、汉字知识　Notes on Chinese characters：

汉字的偏旁(二十三)　The *sides*（**23**）：

爪(⺥)　爪字旁(头)(zhǎozìpáng/tóu) The"*catching side/top*"

如：

Examples：

爬　爱

二、生字表　Table of new characters：

1	做	亻					
		故	古(一　十　古)				
			攵				
2	橘	木					
		矞	矛(⺇　マ　予　矛)				
			冏(冂　冏　冏)				
3	带	卅(一　十　卅　卅)					
		冖					
		巾(丨　冂　巾)					
4	阴	阝					
		月					
5	雨	一　冂　币　雨　雨					

119

6	晴	日	
		青	qīng
7	山	丨 凵 山	
8	爬	爪（´ 厂 瓜 爪）	
		巴	bā
9	阳	阝	
		日	
10	停	亻	
		亭（ 亠 亩 亮 亭）	tíng
11	然	夕	夕（´ ク 夕 夕）
			犬（大 犬）
		灬	
12	始	女	
		台	厶
			口
13	累	田	
		糸（´ 纟 纟 糸 糸）	
14	渴	氵	
		曷	日
			匃（´ 勹 勹 匃）
15	冷	冫	
		令	lìng

16	饮	饣
		欠 (丿 𠂊 𠂆 欠)

三、阅读 Read the following：

(一)

爬　爬山　爬上山了　爬了两座山　爬了一天的山　那个孩子会爬了。

雨　下雨了　雨停了　雨衣　雨伞(sǎn umbrella)

做　他在一个银行里做事。　做饭　做衣服

(二)

多么　今天的电视节目(jiému programme)多么有意思啊！

那座山多么高啊！

太阳出来了，多么美啊！

果然　爬这座山果然很累。

坐地铁果然不太挤。

(三)

汉斯：(敲门)

朋子：请进！

汉斯：哟，对不起，朋子，我不知道你还没起床呢。你怎么了？看，太阳都
多高了！

朋子：没什么，我早上起来以后，有点儿头疼(tóuténg headache)，又躺
下了。

汉斯：是不是病了？

朋子：可能是感冒(gǎnmào to catch cold)了。昨天我到小明家去玩，回来
的时候，忽然下雨了。我没带雨衣，也没带雨伞，一会儿，衣服就都
湿(shī wet)了。

汉斯：你还能去长城吗？天已经晴了，你看，天多蓝啊！外边也不冷。
去吧！

朋子：我不能去了，你们去吧。

汉斯：我们都希望你能跟我们一起去！你看，野餐(yěcān picnic)的东西
我们都准备好了。不过，你应该先去看病。好吧，我走了，他们都
在楼下等着呢！你好好休息吧。

朋子：　好,我过一会儿就到校医院去。

四、练习　Exercises：

1. 用下列词语各造一个句子：

Make sentences with the following words：

1）这样

2）多么

3）先

4）忽然

2. 分析下列汉字的偏旁：

Write out the *sides* of the following characters in the brackets：

烟（　　　　）　　句（　　　　　　）

容（　　　　）　　处（　　　　　　）

灭（　　　　）　　旁（　　　　　　）

第三十四课　Lesson 34

一、汉字知识　Notes on Chinese characters：

汉字的偏旁（二十四）　The *sides*（24）：

羽　羽字旁（底）（yǔzìpáng/dǐ）The "*feather side/bottom*"

带羽字旁的字在意义上常与羽毛有关，如：

Characters with the "*feather side/bottom*" are usually related to feather in meaning, for example：

扇　翎（líng feather）　翔（xiáng to soar）

二、生字表　Table of new characters：

1	钟	钅			zhōng
		中			
2	注	氵			zhǔ
		主（丶 二 三 主 主）			
3	梨	利	禾		lì
			刂		
		木			
4	园	囗（冂 园 园）			yuán
		元			
5	约	纟			
		勺			
6	兴	𝅼	丷		
			一		
		八			

7	其	甘 (一　廿　甘　甘)
		八　六
8	实	头
9	跑	𧾷
		包 (勹　匀　包)　　　　　bāo
10	湿	氵
		显 ⟶ 日 / 业
11	扇	户
		羽
12	冰	冫
		水
13	淇	氵
		其　　　　　qí
14	淋	氵
		林 (朩　林)　　　　　lín
15	提	扌
		是

三、阅读　Read the following:

(一)

其实　　刚一看,这个练习比较难,再看看,其实很容易。

注意　　请注意听他介绍。

他很注意他的健康，按时（ànshí on schedule）吃饭，按时睡觉。

约（会）　今天他有一个约会。

小高约他晚上去俱乐部看电影。

（二）

小　红：

你好！今天我又晚了，真对不起你。我到电影院的时候，已经八点十分了，电影开演四十分钟了。

上星期日，我骑自行车（qí zìxíngchē to ride a bicycle）去公园，晚了。其实，今天我六点半就出来了。我想不要再骑自行车了，坐车一定会快一点儿。可是，没想到车站等车的人那么多！车要十分钟才来一辆。车来了，只能上几个人。我等到第三辆车才上去，等了整整五十分钟。汽车到一个站，就要停三四分钟，这样我坐了四十分钟的汽车才到。在车上，我就很着急（zháo jí anxious），一下了车，我就往电影院跑，跑得衣服都湿了。到了门口，你已经走了。我想你可能又生气（shēng qì to get annoyed）了吧。

你看了我的信，就不要再生我的气了。下星期，我一定提前两个小时出来，行（xíng all right）吗？

咱们下星期去城外的公园玩玩，好吗？什么时间，去哪个公园，都请你决定（juédìng to decide）吧。

祝你

快乐（kuàilè happy）！

王　冬

11 月 15 日

信写完了，王冬又拿了一个信封。信封是这样写的：

1 0 0 8 7 1

北京市海淀区北京大学中文系

邮票

张　小　红　收

友　谊　医　院

王　冬　寄

邮政编码　　100050

王冬在信封上贴(tiē to paste)好邮票，寄走了。

四、练习　Exercises：

1. 写出包括下列汉字的词语：

Write words containing the following characters in the brackets：

公（　　　　　）　　　共（　　　　　　）

啤（　　　　　）　　　牌（　　　　　　）

运（　　　　　）　　　远（　　　　　　）

济（　　　　　）　　　挤（　　　　　　）

2. 翻译下列词语：

Translate the following words into English：

共同：

公用：

公共：

3. 写出包括下列字素的汉字并注音：

Write characters containing the following components in the brackets and transcribe them：

元 ⎰（　　　　）＿＿＿＿＿＿
　 ⎨（　　　　）＿＿＿＿＿＿
　 ⎱（　　　　）＿＿＿＿＿＿

青 ⎰（　　　　）＿＿＿＿＿＿
　 ⎨（　　　　）＿＿＿＿＿＿
　 ⎱（　　　　）＿＿＿＿＿＿

第三十五课　Lesson 35

一、汉字知识　Notes on Chinese characters：

汉字的偏旁（二十五）　The *sides*（25）：

1. 米　米字旁（mǐzìpáng）The "*grain side*"

   如：

   Examples：

   糕　糖

2. 疋　疋字头（底）（pǐzìtóu／dǐ）The "*foot top／bottom*"

   如：

   Examples：

   楚　蛋

二、生字表　Table of new characters：

1	姑	女		
		古		gǔ
2	娘	女		
		良（丶 艮 良）		liáng
3	艺	艹		
		乙		yǐ
4	术	木　术		
5	随	阝	有	
		辶	辶	

6	代	亻				
		弋				
7	表	二	主	声	表	表
8	团	口(冂 囝 团)				
		才				
9	翻	番	一			fān
			米			
			田			
		羽				
10	译	讠				
		圣(又 𡗗 圣)				
11	给	纟				
		合				
12	蛋	疋(一 ⺊ 𤴓 疋 疋)				
		虫(口 虫 虫)				
13	访	讠				
		方(丶 一 亠 方)				fāng
14	糕	米				
		羔	羊			gāo
			灬			
15	片	丿	𠂆	片		
16	许	讠				
		午				

128

三、阅读 Read the following:

(一)

代表团　　艺术代表团　　友好代表团　　电影代表团

随便　　什么时候不要随便说话?

　　　　随便坐　　随便吃一些吧

也许　　他也许今天来。

　　　　他也许会坐飞机来。

片　　　相片儿　　名片儿　　药(yào medicine)片儿

(二)

快要上课的时候,汉斯给老师一张请假条(qǐngjiàtiáo application for leave)

> 老师:
>
> 　　我国有女子代表团来访问中国,今天道北京。我哥哥也再这个代表团里。我要去飞几厂接他。请价一天。
>
> 　　　　　　　　　　　　　　　　汉斯

老师看了汉斯的请假条以后笑(xiào to smile)了。

第二天上课的时候,汉斯问老师:"昨天我写了一张请假条,您看了吗?""看了,看了。"老师说完又笑了,汉斯不明白了——老师为什么要笑呢?

请同学们来想想,老师为什么(wèishénme why)笑了。

四、练习 Exercises:

1. 加上适当的字素构成汉字:

Add appropriate components to the following to form characters as suggested by the *pinyin*:

口(yuán)　　　　口(yuán)

口(huí)　　　　口(guó)

隹(shuí)　　　　隹(zhǔn)

昔(jiè)   昔(cuò)

艮(yín)   艮(gēn)

2. 分析下列汉字的偏旁：

Write the *sides* of the following characters in the brackets:

特（   ）   毕（   ）

爱（   ）   当（   ）

暑（   ）

第三十六课　Lesson 36

一、汉字知识　Notes on Chinese characters：

汉字的偏旁（二十六）　The *sides*（26）：

火　火字旁（huǒzìpáng）The "*fire side*"

带有火字旁的字多与火、燃烧有关，如：

Characters with the "*fire side*" are mostly related to fire and burning in meaning, for example：

烧　灯（dēng lamp）

二、生字表　Table of new characters：

1	病	疒 丙（一　厂　冂　丙）		bǐng
2	药	艹 约	纟 勺	
3	舒	舍 予（乛　マ　予　予）		
4	挂	扌 圭		
5	科	禾 斗		
6	内	丨　冂　内　内		
7	疼	疒 冬（夂　冬）		dōng

8	发	乛	乚	发	发		
9	烧	火（丶 丿 丷 火）					
		尧（一 弋 尧 尧）					yáo
10	针	钅					
		十					
11	感	厂 咸 咸 咸					
		心					
12	冒	冃（丨 冂 冃 冃）					
		目					
13	通	甬（乛 甬）					yǒng
		辶					
14	度	广					
		廿（一 廿）					
		又					
15	嗓	口					
		桑	叒（又 叒 叒）				sāng
			木				
16	鼻	自					
		畀	田				
			丌（一 丁 丌）				

132

三、阅读　Read the following:

（一）

科　　内科　　外科　　小儿科
挂　　挂号　　挂外科
　　　挂衣服　　我的衣服挂在这儿了。
　　　他在宿舍的墙(qiáng)上挂了很多画儿。
疼　　小明头疼,可能感冒了。
　　　他嗓子疼,不能唱歌了。

（二）
一篇日记(rìjì diary)

十二月五日　星期四　阴

　　我和同学们虽然(suīrán though)是从不同的国家(guójiā country)来中国的,可是我们在学习和生活(shēnghuó life)中都能互相帮助。我们都成了很好的朋友。

　　今天上午上课的时候,老师刚说:"现在我们做几个练习。"我忽然觉得(juéde to feel)头疼,没上完课,就去校医院了。

　　大夫给我打了两针,还给了我三种药,一种是一天吃三次,饭后吃,另一种是每天早、晚各吃一次,还有一种是睡觉前半个小时吃。

　　中午我吃了药就睡了,我睡了三个半小时,觉得好多了,头也不太疼了。我想念念生词,看看语法。就在这个时候,同学们来了,他们这个问我好点儿没有,头还疼不疼,那个问我吃了什么药,打针了没有,打针疼不疼。同学们还送给我很多水果。安娜给我看她的语法笔记(bǐjì notes),汉斯给我讲(jiǎng to explain)新课的生词,朋子告诉我今天有什么作业。"太谢谢你们了!"我从心里说出这句话。"哦,不要客气。你忘(wàng to forget)了,我们都是好朋友啊!"

四、练习　Exercises:

1. 将下列汉字适当地填入空白中:

Fill in each blank with an appropriate character from below:

度　瘦　约　药

1) 他常有病,人很_____。

2) 他_____你去哪儿玩?

3) 吃了大夫给你的_____,现在觉得怎么样了?

4) 小朋发烧了吗? 多少_____?

2. 用"外"组词:

Give words with 外:

外_____   外_____   外_____   外_____

3. 写出四个包括"寸"的汉字:

Write four characters with 寸:

1)

2)

3)

4)

【附】
第三十五课阅读(二)汉斯的请假条里的几个错字:
The incorrectly written characters in Hànsī's note for leave in Reading exercise
(二), Lesson 35:

有×——→友✓
女子×—→好✓
道×——→到✓
再×——→在✓
几×——→机✓
厂×——→场✓
价×——→假✓

134

第三十七课 Lesson 37

一、汉字知识 Notes on Chinese characters：

汉字的偏旁（二十七） The *sides*（27）：

石 石字旁（shízìpáng） The "*stone side*"

如：

Examples：

破 码

二、生字表 Table of new characters：

1	邀	敫	身	白
				方
			攵	
		辶		
2	足	口	甲	足
3	篮	𥫗		
		监	𠂤（刂 𠂆 𠂤）	
			皿（冂 皿 皿）	
4	正	一	下	正 正
5	台	厶（厶 厶）		
		口		
6	裁	土	𢧵 裁 裁 裁	
7	判	半（丷 半）		
		刂		

135

8	手	三 手				
9	拿	合				
		手				
10	急	刍(⺈ 刍)				
		心				
11	着	羊				
		目				
12	让	讠				
		上				
13	破	石				
		皮(厂 广 皮)				
14	每	⺈				
		母(乚 𠃌 母 母)				
15	次	冫				
		欠(⺈ 欠)				
16	嘴	口				
		觜	此(卜 ⺊ 止 此)			
			角(⺈ 角)			

三、阅读 Read the following:

(一)

每　　每个人　每人　每本　每本书　每天　每月　每次
　　　　每张(票)两毛钱
忘　　那些生词我还没忘。
　　　　谁忘了带词典？

136

邀请　这位足球裁判是我们邀请来裁判中法足球比赛的。

今天我邀请了几位朋友到我家来吃饭。

（二）

上星期六晚上,我和汉斯去北京工人体育场看了一场非常(fēicháng very)精彩(jīngcǎi wonderful)的国际足球赛。我们两个人都很爱看足球赛。

我们吃完了晚饭就坐出租汽车去体育场了。我们到得很早,可是场内看球赛的人已经来得很多了。外边还有很多人在等票。

我们进体育场的时候,收(shōu to collect)票的人问:"有票吗?""汉斯,票呢?"我问。"啊? 糟糕! 票怎么没有了? 是不是我忘了拿了? 让我想想。""别着急,好好找一找。""啊,我想起来(to remember)了,票在你那儿,是你带出来的!""怎么在我这儿?"我也有些急了。"你想想,出来的时候,我说:'你拿着票吧,我常丢(diū to lose)东西。'是不是这样?""对,对,你看,票真的(zhēnde really)在我这儿。"

我们的座位在第五排,看得很清楚。今天参加比赛的法国学生队是刚在德国比赛完就来的,北京队是刚从广州比赛完回来的。这场球赛邀请了一位国际裁判。

比赛开始了,汉斯问我:"你希望(xīwàng to hope)谁赢(yíng to win a game)?""这没关系,我只希望两个队都踢得好。你呢?""我也是这样。"果然两个队都踢得很好。最后以1:1结束(jiéshù to end)。

回来的时候,我们一直在谈这场球赛。那天晚上,我们回来得很晚,可是一点儿也不觉得累。

四、练习　Exercises：

1. 辨别下列词中带点汉字的正误：

Say whether the characters with dots underneath are used correctly in the following words：

方间（　　　　）　　　　房子（　　　　）

访问（　　　　）　　　　等车（　　　　）

第一（　　　　）　　　　蓝球（　　　　）

蓝衬衣（　　　　）

2. 请把下列名词翻译成英语：

Translate the following words into English：

        pái　球（　　　　　　　　）

        qì　球（　　　　　　　　）

        bīng　球（　　　　　　　　）

第三十八课　Lesson 38

一、汉字知识　**Notes on Chinese characters**：

汉字的偏旁（二十八）　**The** *sides*（28）：

1. 牛　牛字旁（niúzìpáng）The "*cattle side*"

   如：

   Examples：

   特　物

2. 又　又字旁（yòuzìpáng）The "*repetition side*"

   如：

   Examples：

   欢　鸡

二、生字表　**Table of new characters**：

1	使	亻
		吏（一　口　声　吏）
2	事	一　口　写　事
3	礼	礻
		乚
4	物	牛（丿　一　牛　牛）
		勿（勹　勿） wù
5	欢	又
		欠（𠂉　欠）
6	迎	卬（卬　卬）
		辶

139

7	屋	尸		
		至(一　至)		
8	菜	艹		
		采	⺤	cǎi
			木	
9	超	走(一　十　土　キ　キ　走)		
		召	刀	
			口	
10	市	亠　市		
11	鱼	⺈　鱼　鱼		
12	鸡	又		
		鸟(⺈　勹　鸟　鸟)		niǎo
13	羊	⸌　兰　羊		
14	肉	冂　内　肉		
15	麻	广		
		林(朩　林)		
16	烦	火		
		页		
17	特	牜		
		寺	土	
			寺	

三、阅读　Read the following:

(一)

礼物　　他今天在超市给你买了一件礼物。

谢谢你送给我的礼物。

麻烦　这儿买菜麻烦吗？

这样做，不是太麻烦了吗？

麻烦你了，这太麻烦你了。

要是　要是你明天有时间，欢迎你来我家吃饭。

你要是有不认识的汉字，就快查(chá)字典。

（二）

从前(once upon a time)，有一个很有钱的人。他想给儿子请一个家庭(jiātíng family)教师。可是，他不想给老师钱，只给一些最简单的饭菜。他的妻子(qīzi wife)说："哪儿可以找到这样一位教师呢？不给钱，也不给好饭吃，谁会到这儿来呢？"。有钱人想了想，决定(juédìng to decide)让家里的工人上外边去找。

一天早上，真有一位教师来了。有钱人的妻子看见是来当(dāng to act as)家庭教师的，就说："快，请快进屋来吧。"

有钱人很高兴，对这位教师说："我的条件(tiáojiàn condition)你都知道了？那么，我们订(dìng to enter into)一个合同(hétong contract)，怎么样？"教师同意了。有钱人在纸上写的是："没有鸡鸭也可以没有鱼肉也可以青菜一盘(pán plate)够(gòu enough)了"。有钱人觉得这个合同虽然没有标点符号(biāodiǎn fúhào punctuations)，可是自己的意思已经写得很清楚了。写完合同以后，有钱人让教师在合同上签名(qiān míng to sign one's name)。聪明(cōngming clever)的家庭教师看了看，就在合同上签了名。有钱人也非常高兴地签了名。

可是，吃午饭的时候，这位家庭教师就生气了："怎么只给我吃青菜？鸡呢？鸭呢？鱼呢？肉呢？为什么不给我拿过来？"有钱人听见了就急忙跑过来问："不是合同上已经写得很清楚了吗？我的意思是没有鸡鸭也可以，没有鱼肉也可以，青菜一盘够了。你不是签名同意了吗？"家庭教师也问有钱人："对啊！合同上是写得很清楚，我觉得应该是：'没有鸡，鸭也可以；没有鱼，肉也可以，青菜一盘够了。'你不是也签了名吗？现在你为什么只给我吃青菜呢？"

当然(dāngrán of course)，这是一个笑话(xiàohua joke)，但是(dànshì but)，它告诉我们标点符号的重要。要是觉得用标点符号太麻烦，就随便(suíbiàn carelessly)用，很可能也会出笑话。

四、练习　Exercises：

1. 请在"人"字上加两笔组成新字，共写九个字：

Write nine characters which are formed by adding two strokes to 人：

1)   4)   7)

2)   5)   8)

3)   6)   9)

2. 分析下列汉字的偏旁：

What are the *sides* of the following characters? Write them in the brackets：

站（   ）   店（   ）

遇（   ）   寓（   ）

估（   ）   故（   ）

3. 请把下列各词组翻译成英文，或用汉语解释：

Turn the following into English or explain them in Chinese：

冰块儿   （   ）

山水画儿 （   ）

鸡蛋   （   ）

名片儿   （   ）

第三十九课　Lesson 39

一、汉字知识　Notes on Chinese characters：

汉字的偏旁（二十九）　The *sides*（29）：

彡　三撇旁（sānpiěpáng）The "*three* piě *side*"

如：

Examples：

彩　影　须

二、生字表　Table of new characters：

1	热	执	扌	
			丸（丿　九　丸）	
		灬		
2	闹	门		
		市（丶　一　宀　市　市）		
3	得	彳		
		导（日　旦　导）		
4	精	米		
		青		qīng
5	彩	采		
		彡		
6	踢	𧾷		
		易（日　昜　易）		yì

143

7	慢	忄		
		曼（日　昌　曼）		màn
8	乒	ノ　「　「　乒　乒		
9	乓	乒　乓		
10	自	ノ　「　「　自　自		
11	己	「　コ　己		
12	喜	吉		
		丷　口		
13	网	冂		
		㐅（㐅　㐅）		
14	游	氵		
		㫊	方	
			孑（〳　孑）	
15	泳	氵		
		永（丶　丿　〝　永　永）		yǒng

三、阅读　Read the following：

（一）

热闹　　哪儿这么热闹？

今天的运动会真热闹。

喜欢　　你喜欢什么运动？

这个小礼物你喜欢吗？

爱好　　我不爱好运动，只爱好艺术。

爬山是你的爱好吗？

后来　　他开始跑得很慢,后来快了,最后,他得了第一。

(二)

看,跑在前边的那位老人,你们认识吗? 不认识? 好,我给你们介绍一下儿。

我是三个月以前认识他的。

那是今年夏天(xiàtiān summer)的一个早晨,我五点钟就起床了。天还没亮呢。看书吧,不行! 同屋还在睡觉呢。我只能出去走走。外边空气(kōngqì air)好。我走到操场,看见一位老人在打太极拳,我觉得他打得非常好,很想请他教我。

在他休息的时候,我就走过去跟他谈话,他很高兴。他告诉我,大概在一年半以前,他身体不太好,常常生病(shēng bìng be sick),吃了很多药,还是不好。他非常着急。有位朋友给他介绍了一个大夫。这位大夫对他说,他应该每天锻炼身体。要是只吃药,不锻炼,身体还是不会健康。这位大夫还教会了他打太极拳,他们很快就成了朋友。从那时候开始,他每天早晨都要打一个小时太极拳。慢慢地(gradually)他的身体果然健康了。

我听了他介绍的情况,就想,我常常睡不好觉,是不是也可以用这个方法治一治? 我请老人教我打太极拳,他高兴地同意了。从这一天起,他就当了我的老师。你们看,他都六十七岁了,还能跑得那么快。

四、练习　Exercises:

1. 组词:

Give words containing the following characters:

约＿＿＿＿＿＿　　　　药＿＿＿＿＿＿

杂＿＿＿＿＿＿　　　　架＿＿＿＿＿＿

猜＿＿＿＿＿＿　　　　精＿＿＿＿＿＿

顺＿＿＿＿＿＿　　　　烦＿＿＿＿＿＿

网＿＿＿＿＿＿　　　　刚＿＿＿＿＿＿

2. 把下列汉字适当地填入各句的空白中:

Fill in each blank with a character chosen from the following:

忘　忽　急　念　际　挤　济

1）他是在北大学习国＿＿＿＿经＿＿＿＿的。

2）我正买水果的时候，＿＿＿＿然有个人＿＿＿＿过来，我一看，是汉斯。

3）对不起，我不能跟你们出去玩了，下星期就要考试了，我都给＿＿＿＿了，今天一定要＿＿＿＿书。

4）你别着＿＿＿＿，会休息的人，才会工作和学习。

第四十课　Lesson 40

一、汉字知识　**Notes on Chinese characters**：

汉字的偏旁（三十）　**The "*sides*"（30）：**

勹　包字框（bāozìkuàng）The "*wrapping top*"

　　如：

　　Examples：

勹　句

二、生字表　**Table of new characters**：

1	倒	亻 到	至（一　云　至） 刂	dào
2	杯	木 不		
3	尝	𭕄 云（一　二　云　云）		
4	母	乚　𠃌　母　母　母		
5	亲	立　亲		
6	筷	𥫗 快	忄 夬	kuài

147

7	凑	冫	
		奏 夫（三 夫）天	zòu
8	刀	刁 刀	
9	叉	又 叉	
10	惯	忄	
		贯 毌（乚 口 毌 毌）贝	guàn
11	盘	舟 皿	
12	盛	成（一 厂 厂 成 成 成）皿	chéng
13	饱	饣 包	bāo
14	汤	氵 昜（ 勹 昜）	
15	勺	勹 勺	

三、阅读　Read the following:

（一）

凑合　　　我做菜还做得不太好，你们凑合吃吧！
　　　　　我字写得不清楚，您凑合着看吧！

跟……一样　中国的饭桌跟外国的不一样。
　　　　　这个盘子里盛的菜跟那个一样。

一边……一边……　他们一边喝酒一边谈话。

148

(二)

北京的街(jiē street)道两旁有不少饭馆,有的叫饭店,有的叫餐(cān)厅,有的叫餐馆。一般(yìbān usually)大饭馆都在热闹的地方。外国人在北京的饭馆吃饭要会用筷子。北京也有一些西餐馆,在那儿按照外国的习惯,用刀叉和勺子吃饭。西餐馆中有法式(shì style)、俄式等区别(qūbié difference)。所以不出北京,就可以吃到世界(shìjiè world)上很多国家的风味(fēngwèi flavour)。

北京街上还有不少酒吧(bā bar, pub)里边放着一些桌子和一些椅子,人们可以在酒吧里边喝酒,边聊天儿。酒吧里除了卖酒,还卖饮料(yǐnliào soft drink)、点心和烟。酒吧的营业时间一般都比较(bǐjiào rather)长,从下午一直到第二天早上。

北京的咖啡馆也不少,还有不少冷饮店和茶馆。冷饮店里卖冰淇淋、冷饮、牛奶、咖啡,也卖点心。茶馆里卖各种茶水,也卖饮料,还有花生(peanut)、瓜子儿(guāzǐr baked melon seeds)等食品(shípǐn food)。街上、公园里、火车站都有茶馆。茶馆常常是人们休息和朋友们聊天儿(liáotiānr to chat)的好地方。

四、练习　Exercises:

1. 给下列汉字注音,并按括号中给的意思组词:

Transcribe the following characters and give words/phrases containing them according to the meanings in the brackets:

其＿＿＿＿＿＿(actually)　　　淇＿＿＿＿＿＿(ice cream)

棋＿＿＿＿＿＿(to play chess)　　期＿＿＿＿＿＿(week)

跑＿＿＿＿＿＿(to run)　　　　饱＿＿＿＿＿＿(to have one's fill)

2. 请把下列词语翻译成英语:

Turn the following words into English:

快报＿＿＿＿＿＿　　　　　　快车＿＿＿＿＿＿

茶杯＿＿＿＿＿＿　　　　　　酒杯＿＿＿＿＿＿

第四十一课　Lesson 41

一、汉字知识　Notes on Chinese characters：

偏旁位置的归纳（一）　**Positions of** *sides*：**a summary (1)**：

从本课起，对本书所出的汉字偏旁按出现的位置作一归纳。

From this lesson on，we shall classify the *sides* given in this book according to their positions in characters．

在字左边的偏旁　**The left** *sides*：

木（相）　扌（打）　亻（你）　土（地）　口（吃）

讠（语）　氵（汽）　女（妈）　巾（帽）　冫（冰）

子（孩）　火（烧）　犭（猜）　礻（礼）　衤（衬）

王（球）　阝（院）　纟（经）　忄（情）　禾（和）

辶（进）　又（难）　牛（特）　弓（张）　爪（爬）

米（糟）　饣（饱）　石（破）　矢（短）　足（跑）

革（鞋）　舟（航）　日（晴）　目（眼）　彳（很）

二、生字表　Table of new characters：

1	散	龷（丷 龷）				
		攵				
2	步	止	𠂔	𣥂	步	
3	向	冂				
		口				
4	招	扌					
		召（刀　召）				zhào
5	呼	口					
		乎（一　丆　𠂤　丘　乎）			hū

6	面	一	丁	丙	而	面	面
7	主	二	主	主			
8	如	女					
		口					
9	洗	氵					
		先					
10	脸	月					
		金(人 ㅅ 仐 金)					
11	另	口					
		力					
12	情	忄					
		青					qīng
13	况	冫					
		兄(口 兄)					
14	估	亻					
		古(一 十 古)					gǔ
15	计	讠					
		十					
16	熟	孰	享(亠 古 享)				
			九				
		灬					

151

三、阅读　Read the following：

（一）

估计　　已经十点了,估计他来不了了。

我估计他有二十岁了。

你的估计是不对的。

主要　　今天他主要是来借书的。

大夫主要的工作是给病人看病。

（二）

从前(once upon a time),有一个女人,做事经常是慌慌张张(huānghuang-zhāngzhāng hurried)的。

一天晚上,她的一个朋友来告诉她,她娘家(niángjia a married woman's parents' home)有些事,让她第二天就回去。

她听了很着急,夜(yè night)里睡觉的时候,一会儿躺(tǎng to lay down)下去,一会儿又坐起来。她丈夫(zhàngfu husband)对她说:"你别这么着急,家里的情况你也是知道的。我估计不会有什么大事。你好好睡吧,明天天亮(liàng bright)了你就走,不好吗?"她听了丈夫的话就又躺下了。可是躺了一会儿,她还是睡不着,就轻轻地坐起来,穿(chuān to put on)好了衣服,把孩子抱(bào to carry in the arm)起来。她看到丈夫已经睡着(shuìzháo asleep)了,没跟他打招呼就出门往娘家走了。

她出门了,前边是一片冬瓜(dōngguā wax gourd)田(tián field)。她想从冬瓜田走过去,可以近一点儿,就向冬瓜田走去。天还很黑,她走得很快。走到冬瓜田里,一不小心(xiǎoxīn caucious),摔(shuāi to stumble)倒了,孩子也摔到一边了。她忙爬起来,用手一摸(mō to feel with the hands),摸到了孩子,就马上抱了起来,又慌慌张张地赶路(gǎn lù hurry on her way)了。

天快要亮了,她抱着孩子到了娘家。一走进门,还没跟娘家的人打招呼,就马上到灯下看孩子摔伤(shāng wounded)了没有。没想到一看,抱着的不是孩子,是一个大冬瓜!她母亲也急得哭(kū to cry)了,让她弟弟跟她一起跑回冬瓜田里找孩子。找来找去,天都亮了,还是没有找到孩子,她心里非常难过(sad)。怎么办呢?快跑回家去告诉丈夫吧。

她回到了家里。啊!孩子正在床上睡得香香(xiāng sound)的,只是床上少了一个枕头!

四、练习 Exercises:

1. 根据阅读(二)选择答案:

Choose a correct answer according to Reading exercise(二) above:

那个女人回娘家的时候,抱着的是什么?

A. 孩子　　　　B. 枕头　　　　C. 冬瓜

2. 写出包括下列汉字的词语:

Give words containing the following characters:

店　　　店　　　店　　　店

馆　　　馆　　　馆　　　馆

院　　　院　　　院　　　院

3. 猜一件东西:

Guess the answer to the riddle:

会走没有腿(tuǐ leg),

会说没有嘴。

它(tā it)能告诉我们:

什么时候起,

什么时候睡。

第四十二课　Lesson 42

一、汉字知识　Notes on Chinese characters：

偏旁位置的归纳(二)　Positions of *sides*: a summary (2)：

在字右边的偏旁　The right *sides*：

阝(部)　刂(别)　寸(封)　彡(彩)　力(动)　卩(印)

攵(放)　尤(就)　页(颜)　斤(新)　欠(欢)

二、生字表　Table of new characters：

1	谱	讠				pǔ
		普	並(丷 丼 並 並)			
			日			
2	所	戶(丶 厂 戶 戶)				
		斤				
3	满	氵				
		㒼	艹			
			两(一 冂 丙 两)			
4	清	氵				qīng
		青				
5	楚	林				
		疋				
6	遍	扁(户 肩 扁 扁)				biǎn
		辶				

154

7	附	阝			fù
		付	亻		
			寸		
8	逛	狂	犭		
			王		
		辶			
9	猪	犭			
		者(土 耂 者)			

三、阅读　Read the following:

（一）

有名　　中国的长城和长江都很有名,你去过吗?

　　　　这是一本很有名的书,我已经看过三遍了。

附近　　学校附近有个医院。

　　　　操场附近有个小卖部。

　　　　邮局就在小卖部附近。

然后　　我们先去看电影,然后去超市买东西,好吗?

　　　　他每天先复习生词、课文、做作业,然后预习第二天的新课。

（二）

　　我来中国以前,就听说中国菜很好吃。来中国以后才知道,中国各地都有自己的风味菜。这是因为(yīnwei because)各地习惯不同,出产(chūchǎn produce)不同,气候(qìhòu climate)不同,所以做菜的方法也不同。

　　中国各地名菜很多,山东(Shāndōng)、四川(Sìchuān)、江苏(Jiāngsū)、广东(Guǎngdōng)四个地方就有几千种名菜。

　　要想尝尝各地的风味,是不是一定要到那个地方去呢?

　　不用。要是你到街上逛一下,就会看到许多饭馆门口儿,写着"广东风味"、"四川风味"、"江苏风味"等。

　　当然,北京也有自己的风味。但是,我觉得北京的小吃最有特色(tèsè feature)。不少外国人也喜欢吃北京的小吃。一位法国朋友对我说,他一到北京,就

155

要去吃小吃。北京的小吃店他差不多都去过。

四、练习　Exercises：

1. 请在下边方格中，各填一个字素，使它与上、下、左、右的字素，分别构成一个新的字：

Write a component in each square so that it can be combined with the components on the right, left, top or bottom to form characters：

亻□ 文　扌□ 刂　讠□ 刂　羊□ 氵　亠□ 广

2. 造句：

Make sentences with the following：

满意

又……又……

3. 用汉语解释下列词语：

Explain the following words in Chinese：

名菜　　名人　　名画　　名曲（qǔ music）　　名剧　　名山

156

第四十三课　Lesson 43

一、汉字知识　Notes on Chinese characters：

偏旁位置的归纳（三）　Positions of *sides*：a summary（3）：

在字上边的偏旁　The top *sides*：

艹（菜）　⺮（笔）　ク（复）　疒（病）　厂（厅）　尸（屋）

户（房）　穴（空）　立（亲）　⺍（尝）　山（岁）　⻊（蛋）

⺈（爱）　宀（家）　广（店）　⻗（雪）　⺷（着）

二、生字表　Table of new characters：

1	旅	方			
		𠂤（⺈　⺈　⺁　𠂤）			
2	毯	毛			
		炎			
3	袋	代			
		衣			
4	包	勹			
		巳（⺈　フ　巳）			
5	躺	身			
		尚（⺍　⺍　尚）			
6	抽	扌			
		由			

157

7	烟	火	
		因（冂 冈 因）	
8	胶	月	
		交（六 交）	jiāo
9	卷	尖（丶 ⺍ 尖）	
		巳（⺋ 巳）	
10	牙	一 二 于 牙	
11	刷	屌（尸 屌）	
		刂	
12	李	木	
		子	
13	皂	白	
		七	
14	帽	巾	
		冒（日 冒）	
15	戴	土 壴 𤌍 戴	

三、阅读　Read the following：

（一）

起来　　站起来　拿起来　提起来
准备　　准备考试　准备旅行
　　　　准备做作业　准备做饭
　　　　你要做不去旅行的准备。
得　　　外边很冷，你得穿大衣、戴帽子。
　　　　东西准备好了，我们得去看看出租汽车来了没有。

从前有一个人,记性不好。刚说过的话,刚做过的事,过一会儿就忘了。有一天,他跟朋友约好,七点半一起去饭馆吃饭。他想好了什么时候换衣服,什么时候离开家,什么时候到饭馆。他怕忘了,还写在一张纸上。写好了,就躺在床上休息,谁知道,一躺在床上,他就把这些都忘了。

他朋友七点一刻就到了饭馆,找了半天也没找到他,就想,他这个人记性不好,反正他家离这儿不远,去找他吧。朋友到了他家一看,他正在床上躺着呢。他看见朋友来了,就说:"真对不起,我记性不好,把吃饭的事忘了。你等着,我去换换衣服,咱们就走。"说着,就到另一间屋子去换衣服。可是他怎么也找不到要穿的衣服,就坐在桌子前边想,想着想着,他忘了自己想干什么了。忽然,他看见桌子上的一本小说,说:"你看,找了好几天,也没找到,今天找到了。"

他朋友等了他半天,他也没出来,就到那一间屋子去找他。他看见朋友进来,就说:"哦,你来了,有什么事吗?"原来,朋友在那儿等他,他都忘了。

四、练习 Exercises:

1. 请用下列汉字,各组一个词语:

Give words/phrases containing the following characters:

大＿＿＿＿	邮＿＿＿＿
代＿＿＿＿	油＿＿＿＿
带＿＿＿＿	抽＿＿＿＿
戴＿＿＿＿	谈＿＿＿＿
袋＿＿＿＿	毯＿＿＿＿

2. 下列各句中,如有错字,请改正,并把正确的字写在括号中:

Pick out the incorrectly used characters, if there are any, in the following sentences:

1) 这次旅行我们一路上都很舒服。(　　　　)

2) 我得上去一下儿,我的牙刷忘戴了。(　　　　)

3) 你的帽子不是带在你头上吗?(　　　　)

4) 我在你的旅行袋里放了一盒(hé box)茶,不要忘了。(　　　　)

3. 请在下列汉字中找出学过的偏旁:

Pick out the *sides* you have learnt from the following characters:

帮(　　　　) 　　　帽(　　　　)

烈(　　　　) 　　　裂(　　　　)

助(　　　　) 　　　努(　　　　)

谈(　　　　) 　　　毯(　　　　)

第四十四课　Lesson 44

一、汉字知识　**Notes on Chinese characters**:

偏旁位置的归纳（四）：**Positions of *sides*：a summary（4）:**

在字下边的偏旁　**The bottom *sides*:**

手（拿）　　土（堂）　　巾（帮）　　日（替）　　力（努）

心（想）　　灬（黑）　　寸（等）　　见（览）　　示（票）

木（架）　　目（着）　　女（要）　　子（李）　　皿（盒）

二、生字表　**Table of new characters:**

1	匆	勹　匆	
2	厢	厂	
		相	xiāng
3	把	扌	
		巴（乛　乛　巴　巴）	bā
4	交	六　交	
5	列	歹（一　歹）	
		刂	
6	硬	石	
		更	gèng
7	餐	奴（卜　夕　奴）	
		食	
8	卧	臣（一　丆　丆　丆　臣）	
		卜（丨　卜）	

9	替	扶(夫 扶)	
		日	
10	递	弟	dì
		辶	
11	背	北	běi
		月	
12	铺	钅	
		甫(一 丆 甫 甫)	fǔ

三、阅读 Read the following:

(一)

递　　请把那本词典递给我。
　　　　这个提包是他的,请递给他。
替　　替我买张票,可以吗?
　　　　帮助同学是好的,但是替别人做作业就不好了。

(二)

　　最近有件事让我很感动。

　　上个月我和小王去上海旅行。上了车以后,列车员很热情地帮助我们。她看到我们的行李放得不好,就帮我把箱子放到对面的行李架上。

　　快到上海了,小王让我快准备下车。他站起来匆忙地把我的箱子拿下来,递给我,然后又把自己的箱子拿下来。他说:"小李,把票也准备好。出站的时候要交给检票员(ticket collector)。"

　　下了车,我们叫了一辆出租汽车去旅馆。找到了房间,我想先(first)洗个澡再去吃饭,我打开箱子想找出要换的衣服和毛巾、肥皂。啊,这不是我的箱子!再看看箱子盖上没有我的名字!怎么办? 旅行用的钱、身份证(shēnfènzhèng identity card)、衣服都没有了! 我马上去小王的房间,看看是不是他拿错了。小王的箱子没拿错,他一听我的箱子拿错了,也着急了。我们想,这个箱子的主人(zhǔrén owner)也一定很着急。我们马上带着箱子回到车站,把这件事告诉了火车站的负责(fùzé)人,把箱子交给了他。

他听了以后,笑了起来。他说:"我正在这儿等你们呢！你们看,这个箱子的主人在那儿坐着呢。他也在等着你们呢。"好了,这个箱子的主人找到了。那么,我的箱子呢？我心里想。

这箱子的主人忙走过来,跟我握着手说:"谢谢！谢谢你！"这时车站的负责人提过来一个箱子。我一看,是我的箱子,就跑过去接(jiē to take over)过来,我对他说:"谢谢！太谢谢了！"他说:"你别谢我,是他交给我的,让我替你保存(bǎocún to keep)的。"我又对那个箱子的主人说谢谢,他也笑了,说:"这是我应该做的,你不也是把我的箱子还回来了吗？不过我们以后旅行都要拿好自己的东西啊！"

四、练习 Exercises:

1. 根据阅读(二)选择答案:

Choose an appropriate answer to the story in Reading exercise(二):

1) 是谁把小王的箱子放到对面的行李架上去的？

    A. 列车员   B. 小王   C. 小李

2) 谁把箱子拿错了？

    A. 列车员   B. 小王   C. 小李

2. 分析下列汉字的偏旁:

What are the *sides* of the following characters?

否(　　　　)　　　　盐(　　　　)

皂(　　　　)　　　　于(　　　　)

肯(　　　　)　　　　爸(　　　　)

界(　　　　)　　　　罢(　　　　)

3. 笑话:

A joke:

一个汽车司机(sījī driver)开了很长时间的车,又累又困,就把车停在路边,想睡个觉。他刚躺在坐椅上就有人来问时间,司机看看表说:"快到八点了。"

他刚睡着又听到敲窗(chuāng window)的声音。

"先生,您知道几点了吗？"

他只好(have to)又看了一次表,告诉他:"八点半了。"

敲窗问时间的人太多了,他没法睡好,就写了个小条子(tiáozi message)贴在车窗上:"我不知道时间!"

司机实在太困了,他又躺下了。但是,过了几分钟以后,一位过路人(passer-by)又敲起了窗户:"喂(wèi)！先生,现在是九点差一刻。"

第四十五课　Lesson 45

一、汉字知识　Notes on Chinese characters:

偏旁位置的归纳（五）　**Positions of** *sides*：**a summary（5）:**

在汉字内部的偏旁　**The inner** *sides*：

口（问）　　　　日（间）　　　　讠（辩）（biàn）

二、生字表　Table of new characters:

1	壶	士 冖 业		
2	叶	口 十		
3	盒	合 皿		hé
4	心	丶 心 心 心		
5	香	禾 日		
6	花	艹 化（亻 𠂉 化）		huà
7	摆	扌 罒 去	四	

| 8 | 棋 | 木 | |
| | | 其 | qí |

三、阅读　Read the following：

（一）

盒　　茶盒　烟盒　糖盒　饭盒　铅笔盒
香　　这种花儿特别香。
　　　什么菜这么香？一定很好吃。
　　　他睡得多么香啊！
摆　　张先生的柜子里摆着各种茶叶。
　　　这些花摆在桌子上吧。

（二）

　　喝茶的习惯是从中国开始（kāishǐ to begin）的。传说（chuánshuō It is said），中国古（gǔ ancient）时候有一个皇帝（huángdì emperor）到树林（shùlín woods）里去打猎（dǎ liè to hunt）。过了一会儿，他觉得口渴（kě thirsty）了。侍从（shìcóng attendants）就在树林里给他烧（shāo to boil）水喝。水快开（boil）的时候，忽然从树上掉（diào to fall）下几片树叶（yè leaf），落（luò to fall into）到了水里。这时人们都不知道锅（guō pot）里边的水还能不能喝。有一个侍从走到锅旁，尝了尝，觉得水的味道（wèidao taste）很香，就告诉了皇帝。皇帝尝了尝，也很喜欢它的味道。从这个时候开始，人们就把这种树叶叫茶叶，拿这种树的叶子煮（zhǔ to boil）水喝。人们还发现喝茶对人的身体，特别是对脑子有好处。慢慢地，人们就有了喝茶的习惯。在中国，人们常用茶招待（zhāodài to treat）客人。中国各地喝茶的习惯不同，北方人爱喝花茶，南方人爱喝绿茶。中国人不仅（jǐn only）在家里喝茶，还常去茶馆喝茶，喝着茶聊天儿、下棋、听音乐，非常有意思。

　　中国是茶叶的故乡（gùxiāng home place）。现在很多国家"茶"这个词都是从汉语借用的。

四、练习　Exercises：

1. 在所给字素旁加一字素，构成一个汉字，并注音：

Add a component to each component given below to form characters and transcribe them：

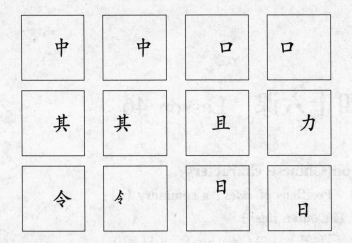

2. 把下列汉字分成两部分，看看哪部分跟字的发音有关系？

Divide each of the following characters into two parts and examine which one is related to the pronunciation of the character:

价＿＿＿＿＿＿　　　远＿＿＿＿＿＿＿

颜＿＿＿＿＿＿　　　姑＿＿＿＿＿＿＿

盒＿＿＿＿＿＿　　　晴＿＿＿＿＿＿＿

钟＿＿＿＿＿＿　　　饱＿＿＿＿＿＿＿

3. 你能写出几个带有"子"的词？

How many words with the suffix 子 can you write?

如：桌子　盒子

第四十六课　Lesson 46

一、汉字知识　Notes on Chinese characters:

偏旁位置的归纳（六）　Positions of *sides*: a summary（6）:

在汉字外部的偏旁　The outer *sides*:

匚（医）　凵（画）　囗（园）　门（阅 yuè）　冂（同）

二、生字表　Table of new characters:

1	扣	扌
		口
2	窗	宀（宀　穷）
		囱（冂　囪　囱）
3	帘	宀
		巾
4	户	丶　戶　㇕　户
5	拉	扌
		立
6	亮	亠（亠　古　亮）
		几
7	摘	扌
		商（亠　冏　商）
8	难	又
		隹

168

9	爷	父（丷 父）		
		卩		
10	接	扌		
		妾	立	qiè
			女	
11	担	扌		
		旦（日 旦）		dàn
12	脱	月		
		兑		
13	暖	日		
		爰	爫	yuán
			友（ナ 友）	
14	江	氵		
		工		

三、阅读　Read the following:

（一）

打　　打开门　　打开窗户　　打开箱子　　打开收音机
打开电视机　　打开灯
打电话　　打字　　打针
打篮球　　打乒乓球　　打太极拳

难看　　他不戴帽子还好，戴上帽子太难看了。
我们屋子用这样难看的窗帘，怎么行呢？

（二）

天刚亮，汉斯就起来了。衣服还没穿好，就把窗帘、窗户都打开了。他一看，今天没有风(fēng wind)，天气很好，就高高兴兴地拿起毛巾去洗脸了。汉斯

169

的同屋约翰(Yuēhàn)知道他要去火车站接朋友,忙说:"你的头发这么乱(luàn in a mess),多难看呀! 还不梳(shū to comb)一下头? 还有你的胡子(húzi beard)……"他的话还没说完,汉斯已经走出屋子了。

汉斯坐车到了西单(Xīdān),要换车的时候,找不到车站了。他问一位在另一个车站等车的老先生:"请问,十路车去火车站吗? 车站在哪儿?"他刚说完,老先生身旁的一个只有三四岁的小孩儿就热情(rèqíng enthusiastically)地说:"我们也去火车站,去找我奶奶(grandmother),您跟我们一起去吧。"正说着,车来了。

汉斯跟老人一起上了车。有个青年人对那位老人说:"老大爷(lǎodàye grandpa),请您这儿坐。"说着就把座位让给了老人。那个小孩忽然大声说:"这儿有一位外国老爷爷,哪位叔叔(shūshu uncle)、阿姨(āyí aunt)能给他……"孩子还没说完,就有一个年轻的妇女(fùnǚ woman)站了起来,汉斯忙说:"您坐、您坐,我可以站着。"小朋友拉着汉斯的手说:"老爷爷,您坐下吧!"汉斯笑着说:"不,我是叔叔,不是老爷爷!"那个小孩用小手指(zhǐ to point)着汉斯的胡子说:"有这么长的胡子,还不是老爷爷呀?"汉斯明白(míngbai to understand)了,汽车上的人都笑了。

汉斯下了车就马上去理发(lǐ fà haircut)店,理了发,刮(guā to shave)了胡子。当他看见他的朋友的时候,他的朋友从上到下,又从下到上地看着他说:"呵!汉斯,你年轻了二十岁,我都不认识你了。"

四、练习　Exercises:

1. 请写出下列各形容词的反义词:

Give the antonyms of the following adjectives:

轻	深	胖	快
空	老	阴	白
高	贵	少	对
长	圆	远	生

2. 把下列句子译成中文,并且用上介词"把":

Translate the following sentences into Chinese, using the preposition 把:

1) You must finish the work today.

2) Don't put the book on the table, but on the shelf.

3) When you go to see your friend in the hospital, do take the fruit with you.

第四十七课　Lesson 47

一、汉字知识　Notes on Chinese characters：

查字典（一）　How to consult a Chinese dictionary（1）：

从本课起,介绍查中文字典和词典的方法。字典和词典是有区别的。字典收集汉字,给汉字注音、解释字义和用法;词典以收集词汇为主,解释词的意义和用法。字典和词典的查法是相同的。

From this lesson on, we shall introduce the way to consult Chinese dictionaries. In Chinese, there is the distinction between dictionaries of characters and those of words. Dictionaries of characters are collections of characters with transcription, definition and usage, whereas dictionaries of words deal mainly with words and their meanings and usage. However, both are consulted in the same way.

字典和词典所收的字或词一般都是按拼音顺序排列的,这与其他拼音文字的词典是一样的,使用拼音文字的外国人用起来比较方便。但按音序查字典,必须知道汉字的读音。如果不知道汉字的读音,就要用其他办法,先查到一个字在字典正文中的页码,才能查到这个汉字。

In most dictionaries, the entries are arranged alphabetically, as dictionaries of languages using other alphabetical scripts, so this arrangement makes it easy to speakers of languages using alphabetical scripts. But the prerequisite in consulting a Chinese dictionary whose entries are so arranged is to know the pronunciation of the character to be looked up. If the pronunciation of the character is unknown, we should employ other ways to find the page number by which we can locate the character in the body of the dictionary.

不通过音序查检汉字,通常有两种办法:一是用笔画检字法,二是用部首检字法。有的字典或词典有"笔画查字表",有的有"部首检字表",有的二者都有。这些将在下面几课加以介绍。

The stroke order and the radical order are commonly employed to look up characters in dictionaries without using the alphabetical order. Some dictionaries have a Character Stroke Index, some have a Radical Index and some have both. These two ways will be introduced in the following lessons.

二、生字表　**Table of new characters：**

1	耳	丆 耳 耳		
2	务	夂		
		力		
3	铃	钅		lìng
		令		
4	响	口		xiàng
		向（丿 亻 冂 向）		
5	普	並		
		日		
6	贸	丣（丿 亻 丣）		
		刀		
		贝		
7	易	日		
		勿		
8	司	丆 刁 司		
9	浴	氵		
		谷（八 父 谷）		
10	朵	几		
		木		
11	矮	矢		wěi
		委		
		女		

172

| 12 | 男 | 田 | |
| | | 力 | |

三、阅读　Read the following：

（一）

广告　新书广告　电影广告　商店广告　广告牌
铃　　电铃　门铃　电话铃
表演　现在木偶剧团正在表演木偶剧呢。
　　　今天有你的表演吗？

（二）

　　有一天，阿凡提（a person name）去看一个朋友。那个人正在发愁，看见阿凡提来了，就说："你来得正好，我正要去找你。我请你办一件事，不知行不行。"

　　阿凡提马上说："行，行，你说吧！"

　　"唉，我们穷人的生活真难呀！昨天，我在一家饭馆门前站了一会儿，饭馆的老板就出来向（xiàng toward, from）我要钱。我问为什么，他说我吃了他家饭菜的香味儿（xiāngwèir fragrant smell）。你说这不是欺负（qīfu bully）人吗？我不给，他今天还要到我家里来要。怎么办呢？你能帮我去说说吗？"

　　正说着，饭馆主人来了，大声地喊："你的钱准备好了吗？快拿出来啊！"阿凡提和那个穷人从屋子里走出来。阿凡提笑着说："这么早，你跑来吵（chǎo to make a hubbub）什么？"饭馆主人说："我问你，站在饭馆门口，闻（wén to smell）得到闻不到饭菜的香味儿？"阿凡提说："当然（dāngrán of course）闻得到。""他昨天在我的饭馆门前闻了饭菜的香味儿，我今天就来要这个香味儿钱。"阿凡提说："好，好，你不要着急，我替他给。"说着，拿出一个钱袋（qiándài purse）在老板面前摇了摇（yáo to shake），问："你听到没听到钱袋里钱的声音？"饭店主人忙说："听到了，听到了。""那好了，我朋友闻了你饭菜的香味，你听到了我钱袋里钱的声音，账（zhàng account）已经清（to settle）了。"

　　阿凡提说完，拉着穷人的手回屋子里去了。

四、练习　Exercises：

1. 选词填空：

Fill in each blank with a character or a word chosen from the following：

封　客　练　已
挂　容　炼　己

1) 你有什么困难,就请找我,不要_____气。

2) 这次考试不太难,很_____易。

3) 他每天都来操场锻_____身体。

4) 我去寄两_____信。

5) 这个电影我_____经看过了。

6) 他每天都来这儿_____乒乓球。

7) 去阅览室看书的时候,自_____的书都要放在门旁的架子上。

8) 他的衣柜里_____着两件新衣服。

2. 用《现代汉语词典》查下列用拼音字母标出来的词,并把查到的汉字写出来:

Look up the following words in *pinyin* in the Xiàndài Hànyǔ Cídiǎn and copy them in characters according to the dictionary:

róngyì   chūntiān   qíngkuàng

jiāoyóu   piàoliang   bǎoxiǎn

3. 用汉语解释下列词语:

Explain the following words in Chinese:

冷水浴   热水浴

日光浴   海水浴

第四十八课　Lesson 48

一、汉字知识　Notes on Chinese characters：

查字典(二)　How to consult a Chinese dictionary(2)：

本课介绍"笔画查字表"的使用方法。"笔画查字表"中,按汉字笔画多少列出字典中所收所有汉字。笔画少的在前,笔画多的在后。笔画数目相同的字,则按下列起笔顺序排列:

The way to use the "Character Stroke Index" is introduced in this lesson. The entries in the dictionary are arranged in the "Stroke Index" according to the number of strokes. Characters with fewer strokes come before those with more strokes. Those with the same number of strokes are arranged according to the order of various initial strokes:

1. 横(héng) The horizontal　　一(乀 乁)
2. 竖(shù) The vertical　　丨(丨丿)
3. 撇(piě) The left downward　　丿(丿 ㇒)
4. 点(diǎn) The dot　　丶(丶 乀 ⌣)
5. 横折(héngzhé) The horizontal with a down ward turn
　　㇆(㇐ ㇇ 乛 乛 ㇉ 乙 乚)
6. 竖折(shùzhé) The vertical with a horizontal turn to the right
　　乚(乚 乚 乚 乚 乚)

举例	笔画数	起笔
Examples	**Number of strokes**	**Initial stroke**
二	2	一
上	3	丨
小	3	丨(= 丨)
人	2	丿
千	3	丿(= 丿)
广	3	丶
心	4	丶(= 丶)
尺	4	㇆
了	2	乛(= ㇆)

175

力	2	フ（=フ）
阳	6	乛（=フ）
乃	2	ㄋ（=フ）
又	2	フ（=フ）
飞	3	乁（=フ）
出	5	ㄴ
以	4	ㄴ（=ㄴ）
女	3	ㄥ（=ㄴ）

笔画查字表中每个汉字旁边的数字表示该字在字典正文中的页码，例如：

The number beside each entry in the Stroke Index indicates the page on which the character appears, for example:

一 画		入	485	刀	110	土	581	千	447	义	683	[ㄴ]	
		八	8	力	343	士	522	乞	441	之	739	女	411
一	669	几	253	三 画		才	49	川	81	[フ]		乡	626
			258			下	618	亿	683	尸	515		
乙	680	九	297	[一]		寸	92	个	189	已	680		
		儿	145	三	488	[丨]		久	294	刃	479		
二 画		匕	26	干	179	上	489	及	255	飞	160		
					182	小	633	[丶]		习	614		
[一]		[フ]		于	702	口	320	广	210	叉	55		
二	147	刁	125	亏	326	山	494	亡	593		57		
十	518	了	337	工	193	[丿]		门	377	马	367		
丁	127		351										

二、生字表　Table of new characters:

1	记	讠						
		己						jǐ
2	忆	忄						
		乙						yǐ
3	力	フ	力					
4	孙	孑						
		小						

176

5	锁	钅			
		贝(丷 贝)			
6	钥	钅			
		月			
7	匙	是			
		匕			
8	办	力	力	办	
9	哭	吅 口 口			
		犬(大 犬)			
10	伙	亻			
		火			huǒ
11	层	尸			
		云			
12	甲	曰	甲		
13	乙	乙			
14	丙	丙	丙		
15	偷	亻			
		俞(亼 俞 俞)			
16	需	雨			
		而(一 厂 丙 而)			
17	既	艮(艮 艮)			
		旡(一 二 尹 旡)			

18	愿	原（厂　厂　匠　原）	yuán
		心	
19	结	纟	
		吉（士　吉）	jí
20	束	一　口　申　束	
21	传	亻	
		专（二　专　专）	zhuān

三、阅读　Read the following：

（一）

需要　　他需要大家的帮助。
　　　　我想，这不是他最需要的。
锁　　　这把锁很好，我就买这把。
　　　　宿舍的门锁上了，没带钥匙怎么办？

（二）

　　一天晚上，我们一家人和爸爸的老朋友李先生坐在电视机前，一边看电视，一边随便（suíbiàn informal）地谈着话。这时，电视里正在介绍日本相扑（xiāngpū Japanese wrestling）运动的情况。当又高又胖的相扑运动员走出来的时候，大家都觉得很惊讶（jīngyà surprise）。母亲说："如果没看到，怎么也不会相信有这么胖的胖子。"李先生接着说："像相扑运动员这样的大胖子，在世界（shìjiè world）上真不多。听说，相扑运动员不能坐普通的大轿车（jiàochē bus），因为他们进不去那样'小'的门，所以他们要坐为（wèi for）他们特制（tèzhì specially made）的车。"我们都很注意地听着。"现在人们都在为肥胖发愁（fāchóu worry），减（jiǎn to reduce）肥药那么多！有人还用跑步、少食、热水浴来减肥。"爸爸接着说："可是也有不少瘦人为太瘦发愁。我看胖、瘦都不是最重要（important）的。只要健康、没有病就是最好的了。"姐姐也说："爸爸说的是对的，不过，要想健康，就要做各种锻炼，在饮食上也不能贪（tān indulge）吃贪喝，要有一定的量（liàng quantity）。奶奶不是常说，要'早上吃得饱，中午吃得好，晚上吃得少'吗？还说……""还说'吃饭要吃八分（eighty percent）饱'！"我抢着说。李先生笑着说："今天我们开了一个'养生之道'（yǎngshēng zhī dào　the way to keep in good health）的讨论

178

discussion）会呵！"

四、练习　Exercises：

1. 写出下列汉字的起笔：

Give the initial strokes of the following characters：

七＿＿＿＿　　　午＿＿＿＿　　　针＿＿＿＿

习＿＿＿＿　　　司＿＿＿＿　　　房＿＿＿＿

止＿＿＿＿　　　收＿＿＿＿　　　情＿＿＿＿

2. 用笔画查字表在《汉英双解词典》①中查出下列汉字的读音：

Look up the following characers in _CHINESE-ENGLISH DICTIONARY_ for their pronunciations by using the Character Stroke Index：

刁＿＿＿＿　　　汗＿＿＿＿　　　嘛＿＿＿＿

井＿＿＿＿　　　辽＿＿＿＿　　　筑＿＿＿＿

毛＿＿＿＿　　　扣＿＿＿＿　　　比＿＿＿＿

3. 写出包括下列汉字的词语：

Write words containing the following characters in the brackets：

带（　　　　）　　　戴（　　　　）　　　代（　　　　）

到（　　　　）　　　倒（　　　　）　　　道（　　　　）

房（　　　　）　　　方（　　　　）　　　访（　　　　）

急（　　　　）　　　几（　　　　）　　　既（　　　　）

记（　　　　）　　　纪（　　　　）

4. 用汉语解释下列词语：

Explain the following words and phrases in Chinese：

开车　　　　　　开票　　　　　　开药

开始　　　　　　开水　　　　　　开演

开门　　　　　　开工　　　　　　开动

开花　　　　　　开口　　　　　　开刀

---

①　《汉英双解词典》,北京语言文化大学出版社,1997 年。_Chinese-English Dictionary_ , The Beijing Language and Culture University Press, 1997.

第四十九课　Lesson 49

一、汉字知识　Notes on Chinese characters：

查字典（三）　How to consult a Chinese dictionary(3)：

本课开始介绍部首检字法。部首是字典或词典根据汉字形体偏旁所分的门类（但并不是说所有的偏旁都是部首），用部首查字典是外语词典所没有的一种特殊查字法。使用这种方法，第一步是识别汉字的部首。

Starting from this lesson, we introduce the way to consult a Chinese dictionary by the *Radical* order. By *radicals* we mean the *sides* by which the entries of a dictionary are categorized. (But it does not follow that all the *sides* are radicals.) This is a unique way of consulting a dictionary which is not seen in dictionaries of any other languages. The first step of using this method is to recognize the *radicals*.

从第十一课到第四十课，我们介绍了 70 余个汉字偏旁，这些偏旁在字典中大都是常用的部首。一般字典或词典中收有 200 个左右的部首。

We introduced about 70 *sides* from Lesson 11 to Lesson 40. Most of them are common *radicals* in dictionaries. There are about 200 *radicals* in Chinese dictionaries.

在上下结构的汉字中，上边的偏旁、下边的偏旁都可能是部首；在左右结构的汉字中，左边的偏旁、右边的偏旁都可能是部首。但内外结构的汉字，一般只有外边的偏旁能做部首。例如：

In characters of the top-bottom structure, the *radical* may be either the *side* at the top or that at the bottom. In characters of the left-right structure, the *radical* may be either the left *side* or the right *side*. However, only the outer *side* of a character in the inner-outer structure can be used as the *radical*. For example:

上边偏旁做部首的汉字：

Characters with the top *sides* as *radicals*：

汉字 Character	部首 Radical	汉字 Character	部首 Radical
会	（人）	蓝	（⺿）
厅	（厂）	篮	（⺮）

下边偏旁做部首的汉字：

Characters with the bottom *side* as *radicals*:

汉字 Character	部首 Radical	汉字 Character	部首 Radical
怎	（心）	盒	（皿）
然	（灬）	桌	（木）

左边偏旁做部首的汉字：

Characters with the left *side* as *radicals*:

汉字 Character	部首 Radical	汉字 Character	部首 Radical
增	（扌）	喝	（口）
迎	（辶）	漂	（氵）

右边偏旁做部首的汉字：

Characters with the right *side* as *radicals*:

汉字 Character	部首 Radical	汉字 Character	部首 Radical
新	（斤）	歇	（欠）
到	（刂）	颜	（页）

外边偏旁做部首的汉字：

Characters with the outer *side* as *radicals*:

汉字 Character	部首 Radical	汉字 Character	部首 Radical
国	（囗）	同	（冂）
画	（凵）	匡	（匚）

二、生字表　Table of new characters：

1	印	臣 （´ 　 ⺋ 　 臣 ）
		⼙

2	象	⼉	ㄥ	⼛	⼛	争	象		
3	郊	交	亠	六	亣	交			
		阝							
4	区	一	又	区					
5	增	土							
		曾	丷	⼄	帘	曽	曲	曾	
6	宽	宀							
		苋	艹						
			见						
7	窄	穴							
		乍	丿	乍	个	乍			
8	漂	氵							
		票	西						piào
			示						
9	胜	月							
		生							shēng
10	古	十	古						
11	迹	亦（一 方 亦）							
		辶							
12	嘛	口							
		麻	广						má
			林						

三、阅读 Read the following:

(一)

名城　　历史名城　　　　文化名城
　　　　音乐名城　　　　艺术名城

印象　　中国的长城给我的印象最深。
　　　　我对这个城市的印象不如那个城市好。

增加　　这条街在这两年中增加了一些商店、两个电影院、一座不太小的
　　　　医院和一个小学。
　　　　客人来得比较（bǐjiào rather）多，还要增加三十瓶（píng）啤酒。

(二)

　　时间过得真快，我来北京已有三个月了。刚来北京时，我自然感到非常新鲜（xīnxian fresh）。

　　北京给我的第一个印象，就是自行车多。我去过很多国家（guójiā country），到过很多有名的城市，但是，这些城市的自行车都没有北京这么多。最有意思（yìsi interesting）的是北京人骑自行车的比坐汽车的多。很多家庭（jiātíng family）从老人到孩子都有自己的自行车。大概他们觉得骑自行车比坐公共汽车要方便多了吧？

　　北京给我的第二个印象是名胜古迹很多。北京有很多世界有名的建筑，如长城，故宫（Gùgōng the Palace Museum）都有千百年的历史了。这些伟大（wěidà great）的建筑吸引（xīyǐn to attract）了国内外很多人来参观游览（yóulǎn to tour）。

　　在北京生活很方便，购物中心、大型超市里的服装、日用品、副食品应有尽有。

四、练习 Exercises：

1. 写出下列汉字的部首：

Write the *radicals* of the following characters in the brackets：

益（　　　　　）　　　　居（　　　　　　　　）

返（　　　　　）　　　　寒（　　　　　　　　）

独（　　　　　）　　　　匹（　　　　　　　　）

蚊（　　　　　）　　　　产（　　　　　　　　）

省（　　　　　）　　　　载（　　　　　　　　）

2. 用下列汉字各组一个词语：

Give words containing the following characters:

精＿＿＿＿＿＿＿＿　　　　情＿＿＿＿＿＿＿＿

清＿＿＿＿＿＿＿＿　　　　请＿＿＿＿＿＿＿＿

练＿＿＿＿＿＿＿＿　　　　炼＿＿＿＿＿＿＿＿

3. 在括号中写出用错的字和正确的字：

Write in the brackets characters that are incorrectly used in the following sentences and those correctly used:

1）这座古代建筑给我的印相最深。（　　　　）

2）我想给我朋有照几张相。（　　　　）

3）我古计他今天不一定能回得来。（　　　　）

4）这个国家也是一个估老的国家吗？（　　　　）

第五十课 Lesson 50

一、汉字知识 Notes on Chinese characters:

查字典(四) How to consult a Chinese dictionary(4):

确定了一个汉字的部首以后,数数这个部首有几笔,再根据笔画数在字典的"部首目录"中找出该部首在"检字表"中的页码(每个部首右边的数字)。

When the *radical* of a character is determined, count the number of strokes in the radical and consult the Radical Index according to the stroke number to obtain the page number, i.e. the number beside each *radical*, by which the characters under the *radical* can be found in the Index of Entries.

如"体",属"亻"部,两画。在《现代汉语词典》*的"部首目录"的二画栏里,可以找到"亻 16"。意思是以"亻"为部首的字排列在"检字表"的第 16 页。

For example, the *radical* 亻 of 体 has two strokes and you can find "亻 16" in the 2 stroke column in the Radical Index of *Dictionary of Modern Chinese* which means characters under the 亻 *radical* are on p.16 in the Index of Entries.

"检字表"中各部首所属的汉字,按除部首以外部分的笔画多少排列。如:

Characters in the Index of Entries are arranged according to the number of strokes in the character not including those of the *radicals*. For example:

亻

二画	2 stroke section	什	化	
三画	3 stroke section	代	他	们
四画	4 stroke section	休	件	
五画	5 stroke section	体	住	你

这样我们可以在"检字表"中"亻"部的"五画"中找到"体"及其在字典或词典正文中的页码,如我们可以在《现代汉语词典》的"检字表"中找到"体 1237 1240"。这说明在字典正文的 1237 页和 1240 页可以查到"体"字。

In this way, we can find the character 体 in the 5 stroke section under the *radical*

---

* 《现代汉语词典》,中国社会科学院语言研究所词典编辑室编,商务印书馆,2002 年,修订第三版。

Dictionary of Modern Chinese, by the Linguistics Institute of the Chinese Academy of Social Sciences, Commercial Press, 3rd revised edition, 2002.

亻 in the Index of Entries, e.g. we get "体 1237　1240" in the Index of Entries of the *Dictionary of Modern Chinese* which means we can find 体 on p.1237 or p.1240 in the body of the Dictionary.

二、生字表　Table of new characters:

1	嫂	女	
		叟: 申(′　〈　⺆　臼　臼　申)	sǒu
		叟: 又	
2	途	余(人　亼　仐　余)	
		辶	
3	派	氵	
		𠂢(厂　斤　𠂢)	
4	驻	马	
		主	zhǔ
6	刮	舌	
		刂	
6	怕	忄	
		白	
7	预	予(マ　ヌ　予)	yǔ
		页	
8	级	纟	
		及(丿　乃　及)	jí
9	低	亻	
		氐(㇒　𠂆　𠂆　氏　氐)	dǐ

10	润	氵			rùn
		闰	门		
			王		
11	燥	火			
		喿	品		
			木		
12	温	氵			
		昷	日		
			皿		
13	恐	巩	工		gǒng
			凡		
		心			
14	反	丿	厂 反		
15	摄	扌			
		聂 (耳 聂 聂)			
16	氏	丿	厂 斥 氏		
17	零	雨 (一 冖 冃 雨 雨 雨 雨)			
		令 (人 𠆢 今 令)			

三、阅读 Read the following:

(一)

长途　　长途电话　长途汽车　长途旅行
度　　　温度　湿度　热度
　　　　长度　高度　宽度　厚(hòu thick)度
处　　　办事处　售票处　交款(kuǎn a sum of money)处

187

借书处　还书处
恐　　看天气,恐怕一会儿要下雨。
　　　这么晚了,他恐怕来不了了吧?

(二)

很久以前(yǐqián before),有一位有名的学者遇见过这样一件事:

有一天,他在路上走,听见旁边有两个小孩儿在争吵(zhēngchǎo to argue)。一个说:"你说得不对!"另一个说:"你说得才不对呢!"学者看他们争吵得很厉害,就说:"孩子们,你们在争吵什么呢? 有什么问题,我帮你们解决(jiějué to solve)好不好?"两个孩子看他是有学问的人的样子,就同意请他帮助。一个孩子说:"我说早上的太阳比中午离我们近。可是,他说……""你说得不对! 中午的太阳比早上离我们近!"另一个孩子大声地说。

"讲讲你们的理由(lǐyóu reason)好吗?"学者说。第一个孩子说:"早上的太阳比脸盆(liǎnpén basin)大。可是到了中午太阳变得比盘子还小。越近越大(yuè……yuè…… the more…the more…)所以我说太阳早上离我们近! 您说我说得对吗?"

"你错了!"学者还没说话,另一个孩子说,"我们都知道,早上总(zǒng always)是比中午凉快。早上温度低,中午温度高。不但春天(chūntiān spring)、夏天(xiàtiān summer)是这样,而且(érqiě but also)秋天(qiūtiān autumn)、冬天(dōngtiān winter)也是这样。越近才越热,中午太阳不是比早上离我们近些吗?"

"谁对?""谁对?"孩子们争着问。

学者想了想,不知道怎么回答,就说:"孩子们,我也不知道你们谁对。你们去问问别的人吧。"说完,就继续走他的路了。

四、练习　Exercises:

1. 请找出下列汉字的部首,并数出各部首的笔画数:

Write the *radicals* of the following characters in the blanks and count the strokes of the *radicals* and write the numbers in the brackets:

病＿＿＿＿＿＿（　　　　　　）

香＿＿＿＿＿＿（　　　　　　）

然＿＿＿＿＿＿（　　　　　　）

尚＿＿＿＿＿＿（　　　　　　）

编＿＿＿＿＿＿（　　　　　　）

辆＿＿＿＿＿＿（　　　　　）

2. 分辨下列句子正确与否,正确的画√,错误的画×:

Are the following sentences grammatically correct(√) or not(×):

1) 我的汽车在半路上坏了,两个中国工人们帮我修好了。(　　　)

2) 她家姐妹们三个都演员。(　　　　　)

3) 观众朋友们,请拿出票来! (　　　　)

4) 每个小朋友们手里都拿着一本书。(　　　　)

第五十一课 Lesson 51

一、汉字知识 Notes on Chinese characters：

查字典(五) How to consult a Chinese dictionary(5)：

如果一个合体字的几个字素，都是部首(如"如"字的"女"和"口")，那么，一般字典或词典只取其中的一个作为该字的部首。确定的原则是：

Suppose all the components of a character are *radicals* (like 女 and 口 in 如), usually, only one of them is considered its *radical* which is determined on the following principles：

1. 上下结构的，取上不取下，如：

The top component is chosen as the *radical* of a character in the top-bottom structure, for example：

    志   取士部(士 is the *radical*)

    采   取爫部(爫 is the *radical*)

2. 左右结构的，取左不取右，如：

The left component is chosen as the *radical* of a character in the left-right structure, for example：

    妈   取女部(女 is the *radical*)

    驴   取马部(马 is the *radical*)

3. 内外结构的，取外不取内，如：

The outer component is chosen as the *radical* of a character in the outer-inner structure, for example：

    句   取勹部(勹 is the *radical*)

    回   取口部(口 is the *radical*)

但有的字典或词典为了查检方便将同一个字的几个字素都看作该字的部首，这样就可以在不同的部首中查到同一个字。如"闯"字可以分别在"门"部和"马"部中查到。

However, for the convenience of the users, in some dictionaries, all the components are taken as *radicals* of such elements, thus a character of such can be found under any of those *radicals*, e.g. 闯 can be found under 门 or 马 respectively.

190

二、生字表　Table of new characters：

1	雪	雨 彐（コ　ヨ　ヨ）		
2	飞	乁　飞　飞		
3	化	亻 匕（丿　匕）		
4	更	亘　更　更		
5	碰	石 並（丷　並　並）		
6	羽	习 习		
7	绒	纟 戎（一　𢦏　戎）		róng
8	托	扌 乇（丿　𠂉　乇）		
9	降	阝 夅	夊 牛（一　二　牛）	
10	落	艹 洛	氵 各（夂　各）	luò

191

11	侄	亻	
		至	zhì
12	稳	禾	
		急	

三、阅读　Read the following:

（一）

服　　羽绒服　　运动服　　工作服　　西服（western style clothes）
　　　校服（xiàofú school uniform）
代表　运动员代表　　学生代表
　　　我代表我们全家来欢迎你。
平时　飞机平时降落总是很平稳的。
　　　他平时来得最早,怎么今天这么晚了还没来呢?

（二）

　　星期日,我很早就醒了,我觉得屋子里比平时亮,往外一看,原来外面下了大雪。我想到外边看看雪景,出去时比平时多穿了一件羽绒服。

　　外边有很多人在堆雪人。有几个人刚把小雪人堆好,有个人就用画报给小雪人做了一条领带（lǐngdài tie）,有个人给它戴上一顶旧草帽,还有人给小雪人戴上了围巾。小雪人真好看,我拿起照相机给它照了一张相。正在这时,朋子和几个中国女同学走过来了。朋子笑着对我说:"早啊! 你今天比平时早起了半个小时吧? 看,外边多美啊! 我们也堆了一个大雪人,比这个雪人漂亮。走,我带你去看看。"我就跟她们往前走。一边儿走,朋子一边儿告诉我,她跟汉斯他们,还有几个中国同学商量好了,一会儿要去长城看雪景。她还没说完,我就高兴地说:"太好了! 我也去,行吗?""行,咱们一起去,看完雪人咱们去吃饭,吃完饭就走。"

　　我们继续（jìxù to continue）向校园（xiàoyuán campus）里走去。前边又有一个又高又大的雪人。汉斯、约翰、彼得（Bǐdé Peter）正在那儿又说又笑。他们看见我就问:"我们的'杰克'怎么样?""很好,太美了!""我们五点钟就起来了。我们一起堆这个'杰克',一直到现在才堆完。"朋子告诉他们,我也要去长城,他们都非常高兴。我问朋子:"你们堆的雪人在什么地方?"朋子说:"那不是!"她们的

192

雪人就在前边不远的地方。那个雪人没有"杰克"高，但是比"杰克"漂亮，戴着一条红围巾和一顶（dǐng measure word for caps）小黄帽子，手里还有一朵红色的纸花。我问："你们这个雪人有名字吗?"朋子说："没有,你给起个名字吧。"我想了想说："这么漂亮的雪人,应该叫'白雪公主'（gōngzhǔ Princess）。"朋子说："谢谢!"这时,汉斯、约翰、彼得他们跑过来,说："快去吃饭吧。吃了饭就该出发了。去晚了就买不到火车票了。"

四、练习　Exercises:

1. 请在字典中查出下列汉字,写出部首和读音:

Look up the following characters in a dictionary and write their *radicals* in the brackets and their pronunciations in the spaces:

盲（　　　）_____　　蓬（　　　）_____

军（　　　）_____　　敬（　　　）_____

衡（　　　）_____　　布（　　　）_____

2. 将下列汉字组成的词适当地填入下面的句子中:

Fill in the blanks with words containing the following characters:

既　级　记　计　寄　纪

1) 我刚接到家里_____的信。

2) 如果明天不下雨,我_____去爬香山。

3) 我一定要在长城上照一张照片留作_____。

4) 他讲得很好,可是我没_____。

5) 每个_____都有汉语节目。

6) _____你累了,就回去休息吧。

第五十二课　Lesson 52

一、汉字知识　Notes on Chinese characters：

查字典(六)　How to consult a Chinese dictionary(6)：

用部首查字典,概括起来有八个步骤:

In brief, there are eight steps in consulting a Chinese dictionary by means of *radicals*:

1. 分析部首
Find the *radical* of the character to be looked up

2. 数部首笔画
Count the number of strokes of the *radical*

3. 查部首目录
Look up the radical in the List of *radicals*

4. 找到该部首在检字表中的页码
Find the page number by which the characters under the *radical* can be located in the List of Entries

5. 根据上述页码查检字表
Consult the List of Entries

6. 数汉字除部首以外部分的笔画
Count the number of strokes (except those of the *radical*) of the character

7. 在检字表中找到字在字典／词典正文中的页码
Find the page number by which the character can be located in the body of the dictionary

8. 根据检字表中注明的页码在字典正文中查需查的字
Look up the character in the body of the dictionary by the page number indicated in the List of Entries

二、生字表　**Table of new characters:**

1	目				
2	编	纟			
		扁	户		biǎn
			冊 (冂　冃　冊)		
3	讽	讠			
		风			fēng
4	刺	朿 (冂　束　朿)			
		刂			
5	总	丷			
		口			
		心			
6	强	弓			
		虽	口		
			虫 (口　中　虫　虫)		
7	敢	耳 (丆　耳)			
		攵			
8	流	氵			
		㐬 (亠　云　㐬)			
9	利	禾			
		刂			

三、阅读　Read the following：

（一）

总　　他考试总得很高的分儿。

　　　　他每天下午四点总在操场打球。

敢　　　敢说　　　敢做　　　敢想　　　敢表演

强　　　他身体比我强，因为他天天锻炼身体。

　　　　她学习比我强，每次考试分数都比我高。

（二）

　　阿里、万斯和山本是我们班学得最好的学生。万斯和山本学完中文以后要去北大历史系学习。阿里要去北大医学院学外科。他们的中国话都说得很好。阿里和万斯在汉语节目表演会上自编自演过相声。他们说得跟中国人一样快，又流利又有意思。朋子还会唱中国民歌（míngē folk song）。

　　为什么他们汉语学得比我们好呢？他们平时学习很努力，敢跟中国人谈话，总是很认真地做练习、写汉字。他们对每一次考试，不论（búlùn no matter）笔试或者口试，都是很认真地准备。他们还很注意用汉语跟他们自己母语（mǔyǔ mother tongue）比较（bǐjiào to compare）。

　　我想这种比较的方法，是学习外国语的一种好方法。

　　阿里、万斯、山本对中国的情况也比较了解。他们对中国的建筑、街道、商店等都有一些研究（yánjiū research）。拿万斯来说吧，他能说出许多北京跟美国的城市不一样的地方。

　　他们还很了解中国人的生活习惯和许多其他（other）情况。

四、练习　Exercises：

1. 请指出下列汉字的部首：

Write out the *radicals* of the following characters：

不 _____　　　申 _____

峦 _____　　　必 _____

年 _____　　　母 _____

196

2. 在词典中找出带有下列汉字的词语：

Look up words containing the following characters in the dictionary:

眼 _____ 匹 _____

及 _____ 顺 _____

靠 _____ 坚 _____

3. 谜语：

A riddle:

> 有一种"花儿"，真奇怪（qíguài strange）。
>
> 地上不开，手上开，
>
> 屋里不开，屋外开，
>
> 晴天不开，雨中开，
>
> 家家都有不用栽（zāi to plant）。

2. 在词典中找出含有下列汉字的词语。

Look up words containing the following Characters in the dictionary.

第五十三课　Lesson 53

一、汉字知识　**Notes on Chinese characters：**

查字典(七)　**How to consult a Chinese dictionary(7)：**

前面几课,我们介绍了查字典的一般方法,下面介绍几种特殊情况。

In the previous few lessons, we introduced the general way of consulting a dictionary. Now we shall deal with some special cases.

在汉字中,除了合体字外,还有大约 330 个独体字。本书已出现了 180 个左右,如：

Among characters, besides the compound ones, there are about 330 single-component characters. We have introduced about 180 of them in this book, for example：

八　巴　百　半　贝　才　厂　辰　当

刀　风　户　火　及　甲　见　里　令

南　尼　其　页　雨　专　走　足　西

由于这些独体字没有可以作部首的偏旁,可以查"中坐"。如：

As no *sides* that can serve as *radicals* can be found in these single-component characters, the middle stroke can be used as their *radicals*.

半(丨部)　　册(一部)　　　夹(大部)　　办(力部)

没有中坐的,则可以查字的左上角。如：

If there is no middle stroke available, the stroke on the top-left corner of the character can be made use of, for example：

午(丿部)　　为(丶部)　些(止部)

左上角也没有部首可查时,可以利用一般字典都有的"难字表"或叫"难检字笔画索引"。表中汉字都是按全字的笔画多少排列的,如：

If no *radical* can be found on the top-left corner, we probably can make use of the Table or Index of Characters of Ambiguous Radicals which is usually available in any dictionary and in which the entries are arranged according to the number of strokes, for example：

也　长　电　东　更　事

二、生字表　Table of new characters：

1	贺	加（力　加）	
		贝	
2	除	阝	
		余	
3	统	纟	
		充（云　充）	chōng
4	农	一　少　农　农	
5	它	宀	
		匕	
6	为	、　丿　为　为	
7	假	亻	
		叚（⁊　𠃌　�　叚）	
8	寒	寒	宀
			共（一　艹　艹　共）
			冫
9	祝	礻	
		兄（口　尸　兄）	
10	菊	艹	
		菊	勹
			米

11	歉	兼（丷 䒑 䒑 兼）				jiān
		欠				
12	尚	尚				
		口				
13	品	口 吕 品				
14	格	木				
		各（夂 各）				gè
15	征	彳				
		正				zhēng, zhèng
16	展	尸				
		䶽（艹 丗 芢 䒑 䶽）				
17	览	䒑（丨 䒑 䒑）				
		见				
18	诗	讠				
		寺	土			
			寸			

三、阅读　Read the following:

（一）

重视　　轻视　　视力　　近视　　远视

诗人　　病人　　老人　　年轻人　　成年人　　机器人(jīqìrén robot)

祝贺　　祝贺新年　　祝贺生日　　祝你健康　　祝你长寿(chángshòu long life)

200

祝你顺利　　祝你一路平安(píng'ān safe and sound)

(二)

中国有很多传统节日,春节是最重要的节日。它是中国农历的新年,大家都非常重视它。过春节,除了因为工作需要(xūyào need),有些人不能休息以外,机关、工厂、公司都要放七八天假。学校都要在春节以前开始放寒假。

春节即将(jíjiāng to be about to)到来的时候,人们都在为过春节做着准备。有的人早早就开始打扫房间,好干干净净地过节。商店里挤满(jǐmǎn filled with)了人,给孩子们买新衣服,给亲人、朋友买礼物,买贺年片等。市场上,人来人往,买鱼的,买肉的,买鸡的,买鸭的,人人都喜气洋洋(xǐqì yángyáng filled with joy)。过春节的时候,孩子们是最快乐的。他们穿新衣,吃糖果,看节目,玩得最高兴。

除夕晚上十分热闹。在外地工作的亲人,也要尽量(jǐnliàng to try one's best)回来过节。吃晚饭的时候,常常是全家人围(wéi surround)坐在桌子旁,互相祝酒,互相祝福(zhùfú to express good wishes)。

吃完饭,一家人有的看电视,有的听音乐,有的聊天,有的跟孩子们一起玩儿,家家都充满(chōngmǎn full of)了笑声。

到了晚上十二点,北方人家开始包饺子(jiǎozi)①,南方人家开始做汤圆(tāngyuán)②,一边做,一边吃,真是热闹。

第二天一早,人们早早起来,到邻居、朋友家拜年(bài nián to pay New Year visits),相互祝贺新年好。

四、练习　Exercises:

1. 区别下列汉字中哪些是独体字,哪些是合体字?

Which of the following characters are single-component and which are compound?

页　颜　劣　小　书　赛　舟　航
氏　低　宠　尤　典　见　匆　单
次　从　天　刃　丢　旦　公　后

2. 用下列汉字各组一个词语:

Give words containing the following characters:

---

① 饺子(jiǎozi): dumplings(with meat and vegetable stuffing wrapped in wheat flour wrapper).

② 汤圆 (tāngyuán): dumplings made of glutinous rice flour with sweet stuffing served in soup.

锻 _____   假 _____

练 _____   炼 _____

体 _____   休 _____

炒 _____   少 _____

准 _____   难 _____

更 _____   便 _____

3. 你能用下列字素组成多少字?

How many characters do you know that contain the following components?

采:

马:

至:

见:

第五十四课　Lesson 54

一、汉字知识　Notes on Chinese characters：

查字典（八）　How to consult a Chinese dictionary（8）：

汉字中一字多音的情况不少,因而在查"检字表"时常遇到一个汉字后边有两个以上的数码。意思是这个汉字的几个不同的读音、不同的意义,可分几处在字典正文中查到。

There are many characters pronounced in different ways and so we can find in the List of Entries two or even more page numbers following one character. That means the character has two or more different pronunciations and meanings and it is available on different pages in the body of the dictionary.

如：长,有两个读音 cháng 和 zhǎng,分别在《现代汉语词典》139 页和 1586 页。其基本意义,前者是指两端之间（空间、时间）距离大。后者则是生长、发育的意思。若有这样两句话：

For example, the character 长 is pronounced cháng and zhǎng which can be found respectively on page 139 and page 1586 in the *Dictionary of Modern Chinese* . In the first case, 长 cháng means "long", and in the second, 长 zhǎng means "to grow". Suppose we have the following two sentences：

1. 这盆花长得很好。

2. 那件衬衫太长了。

根据词义,则可判断出第一句中的"长"应该念 zhǎng,第二句中的"长",则该念"cháng"。

According to their meanings, we know the 长 in the first sentence should be pronounced zhǎng whereas in the second it is pronounced cháng.

二、生字表　Table of new characters：

| 1 | 讲 | 讠 |
| | | 井（一　井） |

2	故	古
		攵
3	咬	口
		交（亠 六 交）
4	河	氵
		可（一 丁 可）
5	船	舟（丿 丿 月 月 舟 舟）　zhōu
		几
		口
6	蔬	艹
		疋（乛 丆 丆 丆 疋）　shū
		㐬（亠 云 㐬）
7	掉	扌
		卓（卜 占 卓）
8	狗	犭
		句
9	兔	丿 亇 亇 备 各 免 兔
10	却	去
		卩

三、阅读　Read the following:

（一）

不见　　我刚把肉放在这儿,怎么一会儿就不见了?

　　　　老张,好久(jiǔ long time)不见了,你最近怎么样?

解释　　这个问题我还不太明白,您能再解释一下吗?

　　　　我不需要解释,做比说好!

却　　　两个人都有很多话要说,一时却不知道从什么地方说起。

　　　　他平时很爱说话,今天却不知为什么一直没说话。

（二）

　　齐国(Qíguó the Qi State)的晏子(Yàn Zǐ)被派到楚国(Chǔguó the Chu State)去当(dāng to serve as)大使。楚国的国王(king)听别人告诉他,晏子长得比较矮,就想侮辱(wǔrǔ to insult)他。楚王让人在大门旁边挖了一个小门,准备等晏子来的时候,让他从小门进。晏子到了楚国,就被卫兵(wèibīng guard)带到小门前,让他进去。晏子对卫兵说:"只有到狗国去,才从狗洞(dòng hole)进去。今天我被派到楚国来,为什么要我从狗洞进去呢!"卫兵回答不了晏子的话,只好让他从大门进去了。

　　晏子见了楚王,楚王很轻视(qīngshì to despise)晏子,说:"你们齐国真是太没有人了!"晏子笑着回答:"齐国到处都是人,我们的首都就有七八万人。街上的人举(jǔ to lift)一举袖子(xiùzi sleeves),太阳都会被遮住(zhēzhù to shade)。大家甩一甩(shuǎi to throw)汗水(hànshuǐ sweat),就像下雨一样。怎么能说齐国没有人呢?"

　　楚王又问:"既然你们国家人那么多,为什么派你这样的人来当大使呢?"

　　晏子回答说:"我们齐国派大使有一个原则(yuánzé principle),对方(duìfāng the opposite side)的国王有才能,我国就派有才能的去;对方国王是没有才能的人,我国就派没有才能的去。我是个最没有才能的人,所以才派到楚国来。"

　　楚王想了一个又一个侮辱晏子的办法,在晏子面前都失败(shībài to fail)了。

四、练习　Exercises:

1. 请查出下列汉字有几个读音,并找出它们在句中的意义:

Look up the following words in the dictionary for their different pronunciations and explain their meanings in the sentences:

1) 差(＿＿＿＿＿＿＿＿＿＿＿＿＿＿＿＿＿＿＿＿＿)

　　他中文学得很差。(差:　　　　　)

2）假(_____)

我们到那边假山上去玩玩。（假：_____）

3）尽(_____)

今天我要尽早做完作业。（尽：_____）

2. 写出下列词语的反义词：

Give the antonyms of the following:

脱 _____   糊涂 _____

差（chà）_____   方便 _____

敢 _____   结束 _____

难看 _____   随便 _____

3. 查字典，并给下列汉字注音：

Look up the following characters for their pronunciations:

丢 _____   央 _____

甩 _____   卡 _____

受 _____   弹 _____

梦 _____   奖 _____

4. 用下列的词，各造一个句子：

Make a sentence with each of the following:

1）主要

2）重要

3）传统

4）传说

第五十五课　Lesson 55

一、汉字知识　Notes on Chinese characters:

查字典(九)　How to consult a Chinese dictionary(9):

在汉字字典中,我们还常常可以看到汉字的旁边用括号括着一两个笔画比较复杂的汉字,这是现在已经不通用的繁体字或异体字。

In Chinese dictionaries beside some entries, we may find one or two complicated forms given in brackets. These are the original complex or other variant forms. Here are some examples:

华(華)　报(報)　面(面　麵　麪)

繁体字用于汉字简化之前的出版物。现在香港、澳门特别行政区和台湾省还通行繁体字。

The original complex characters were used in publications before the simplification of characters and now are still in use in the Special Administration Regions of Hong Kong, and Macao, and Taiwan Province.

二、生字表　Table of new characters:

1	追	自 (′ 亻 户 自)	
		辶	
2	撞	扌	
		童	立
			里
3	声	士	
		尸 (一 尸 尸 尸)	

207

4	弄	王			
		廾(一 丆 廾)			
5	坏	土			
		不			
6	迅	卂(乛 卂 卂)			
		辶			
7	速	束(一 口 申 束)			
		辶			
8	嘲	口			
		朝	卓		cháo
			月		
9	棵	木			
		果			
10	终	纟			
		冬			dōng
11	于	一 二 于			
12	伸	亻			
		申(曰 申)			shēn
13	刹	杀			
		刂			

208

| 14 | 富 | 宀 |
| | | 畐（一 口 畐） |

三、阅读　Read the following:

（一）

要求　　老师要求我们学新课以前,要先预习(yùxí preview)。

您的要求太多、太高,我们做不到。

叫　　　你叫张文吗?

我那么大声叫你,你怎么会没听见呢?

我今天的报纸叫谁借走了呢?

（二）

一天,著名(zhùmíng famous)音乐家李斯特(Franz Liszt)来到一个小镇(zhèn township)。他在街上散步,看到在街头公园前边个工人正在用油漆画一幅广告,广告说:"李斯特的学生××小姐今晚将在本镇剧场表演钢琴(gāngqín piano)独奏(dúzòu to play a solo)。李斯特又注意地看了看这位小姐的名字,不认识啊! 是谁呢? 他决定(juédìng to decide)到小姐家去看看,就问那个工人知道不知道这位小姐住在什么地方,他想拜访一下。恰巧那个工人知道这位小姐的地址,很高兴地告诉了他。到了那位小姐家,他轻轻地敲了敲门,没有回答,只听见里边传出钢琴声。他就走了进去,那位小姐正在专心(zhuānxīn attentively)地弹着钢琴。李斯特一听,她弹的曲子(qǔzi musical composition)正是自己的作品(zuòpǐn artistic work)。她弹得非常认真,弹得也不错,她一定是一位聪明的姑娘。李斯特一边听那位小姐弹琴,一边看了一下这所简陋(jiǎnlòu simple and crude)的屋子:桌子让主人用得很旧了,一个小沙发(shāfā sofa)让小狗当做(dàngzuò to take as)床了,窗户上的玻璃也叫人打破了几块。只有钢琴虽然有些地方油漆掉了,但是声音很好。可以看出,钢琴的主人是多么爱它。

当这位小姐弹完一个曲子,李斯特客气地说,弹得非常好,只是有几个地方应该改一改(gǎi improve),说着,他就弹了起来。这位小姐以前听过李斯特的演奏,她从那熟悉的琴声知道,坐在她面前的就是李斯特。她小声儿地叫了一声:"李斯特先生!"李斯特点了点头,轻声地问她:"你是什么时候在我那儿学习的? 我怎么不记得你的名字呢?"小姐坦白(tǎnbái frankly)地说:"先生,我没有当过您的学生。现在,我生活非常困难,没有办法,只好……我马上告诉他们,我不去

209

演奏了。"李斯特明白了,就对她说:"我今天不是已经教过你了吗? 现在你就是我的学生了。为什么不演奏呢? 我也想在你的演奏会上弹一曲呢!"

　　这一次的钢琴演奏会非常成功(chénggōng successful)。

四、练习　Exercises：

1. 查出下列汉字的读音：

Look up the following characters in the dictionary for their pronunciations：

背 ＿＿＿＿＿＿＿　　　　　传 ＿＿＿＿＿＿＿

宿 ＿＿＿＿＿＿＿　　　　　饮 ＿＿＿＿＿＿＿

应 ＿＿＿＿＿＿＿　　　　　车 ＿＿＿＿＿＿＿

还 ＿＿＿＿＿＿＿　　　　　弄 ＿＿＿＿＿＿＿

2. 查出下列词语,并把意思写出来(用汉语或用英语)：

Look up the following words in the dictionary and write down their meanings in the spaces(either in Chinese or in English)：

药水 ＿＿＿＿＿＿＿　　　　　药酒 ＿＿＿＿＿＿＿

摇篮 ＿＿＿＿＿＿＿　　　　　跳舞 ＿＿＿＿＿＿＿

叫卖 ＿＿＿＿＿＿＿　　　　　终身 ＿＿＿＿＿＿＿

3. 从下列汉字的排列中,你受到什么启发?

What do you know about the following groups of characters?

油　邮　铀　由　（yóu）

遥　摇　谣　瑶　（yáo）

青　清　蜻　　　（qīng）

情　氰　晴　　　（qíng）

请　　　　　　　（qǐng）

第 二 部 分
PART II

第 一 课 Lesson 1

一、描写 Trace the following characters：

一	一							
二	一	二						
三	一	二	三					
六	丶	亠	六	六				
八	丿	八						
大	一	大	大					

二、临写 Copy the following characters：

一									yī
二									èr
三									sān
六									liù
八									bā
大									dà

第二课 Lesson 2

一、描写 Trace the following characters：

你	丿	亻	亻	伽	价	你	你
您	你	您	您	您			
好	乙	夕	女	女	奵	好	

二、临写 Copy the following characters：

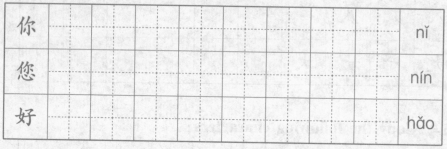

		nǐ
你		nǐ
您		nín
好		hǎo

214

第三课 Lesson 3

一、描写 Trace the following characters:

我	ノ	二	手	手	我	我	我		
五	一	丆	丒	五					
他	ノ	亻	仂	仲	他				
她	女	她							
们	亻	亻	们	们					

二、临写 Copy the following characters:

我									wǒ
五									wǔ
他									tā
她									tā
们									men

第四课　Lesson 4

一、描写 **Trace the following characters:**

工	一	丁	工					
人	丿	人						
夫	一	二	夫	夫				
友	一	𠂇	方	友				
朋	丿	刀	月	月	刖	朋	朋	朋
妈	女	妇	妈	妈				
爸	丶	八	父	父	爷	爷	爸	爸
吗	丶	口	口	吗				
谁	讠	讠	讠	讠	讠	诈	谁	谁
这	丶	方	文	文	汶	这		
是	丨	口	日	日	旦	早	昆	是

216

二、临写 Copy the following characters:

工									gōng
人									rén
夫									fū
友									yǒu
朋									péng
妈									mā
爸									bà
吗									ma
谁									shéi
这									zhè
是									shì

第 五 课　Lesson 5

一、描写 Trace the following characters：

上	丨	上	上					
哪	口	叼	吲	吲	明	哪	哪	
儿	丿	儿						
宿	丶	宀	宀	宀	疒	疒	疒	宿
	宿	宿						
舍	丿	人	亼	仐	全	舍		
书	乛	㇆	书	书				
馆	丿	𠂉	饣	饣	饣	馆	馆	馆
食	人	亽	今	今	今	食	食	食
堂	丶	丷	丷	丷	㳠	堂	堂	堂
图	丨	冂	冂	冈	冈	图	图	图
也	乛	𠃌	也					

二、临写 Copy the following characters:

上	shàng	
哪	nǎ	
儿	ér	
宿	sù	dormitory
舍	shè	
图	tú	picture map
书	shū	library
馆	guǎn	
食	food shí	dining hall
堂	hall táng	
也	yě	

第六课 Lesson 6

一、描写 Trace the following characters：

七	一	七					
九	ノ	九					
十	一	十					
不	一	丆	不	不			
地	一	十	圥	地			
方	、	一	亍	方			
画	一	厂	帀	帀	丽	甶	画	画
报	一	十	扌	护	护	扫	报
纸	𠃊	乡	纟	纟	红	纸	纸
什	ノ	亻	仁	什			
么	ノ	厶	么				
那	丁	㓳	彐	月	那	那	
买	一	乛	乛	乛	买	买	

220

二、临写 **Copy the following characters:**

七										qī
九										jiǔ
十										shí
不										bù
地										dì
方										fāng
画										huà
报										*newspaper* bào
纸										zhǐ *paper*
什										shén
么										me
那										nà
买										mǎi

第七课 Lesson 7

一、描写 Trace the following characters:

四	丶	冂	四	四	四				
看	一	二	三	手	手	看	看	看	看
知	丿	乀	느	矢	矢	知			
道	丶	丷	쓰	产	产	节	首	道	
的	丿	亻	白	白	白	白	的	的	
青	一	二	丰	主	青	青	青	青	
年	丿	스	느	느	仁	年			
有	一	广	才	右	有	有			
没	丶	冫	氵	氵	沈	没	没		
中	丶	口	口	中					
文	丶	二	亠	文					
姐	乚	夕	女	如	如	如	姐	姐	
电	丶	冂	曰	日	电				
视	丶	亠	礻	礻	礻	初	初	视	

222

二、临写 Copy the following characters:

四		sì
看		kàn
知		zhī (to know)
道		dào (road, method)
的		de
青		qīng (youth)
年		nián
有		yǒu
没		méi
中		zhōng
文		wén
姐		jiě
电		diàn
视		shì

第八课 Lesson 8

一、描写 Trace the following characters：

照	日	町	昭	昭	照	照	照	
相	一	十	才	木	相	机	相	相
想	术	相	相	想	想	想		
借	亻	仁	仕	併	供	借	借	借
词	丶	讠	讦	讦	词	词	词	
典	丶	冂	曰	由	曲	典	典	典
收	乚	丩	収	收	收	收		
录	乛	彐	彐	寻	寻	录	录	录
音	丶	亠	六	产	立	音	音	音
机	一	十	才	木	机	机		

224

二、临写 Copy the following characters:

照											zhào	Take (a photo) towards
相											xiàng	
想											xiǎng	
借											jiè	lend
词											cí	
典											diǎn	
收											shōu	receive, accept collect.
录											lù	record (tape) copy
音											yīn	tape recorder
机											jī	

225

第九课 Lesson 9

一、描写 Trace the following characters:

要	一	一	一	两	西	西	要	要	要
种	丿	二	千	禾	禾	和	和	和	种
几	丿	几							
两	一	一	门	丙	丙	两	两		
个	丿	人	个						
杂	丿	九	九	杂	杂	杂			
志	一	十	士	志	志	志	志		
桌	丶	广	广	占	卤	卓	卓	桌	桌
子	一	了	子						
柜	一	十	才	木	杠	杧	杧	柜	
本	一	十	才	木	本				
床	丶	二	广	广	庄	庄	床		
张	丶	丆	弓	弓	弘	张	张		

226

二、临写 Copy the following characters:

要										yào
种										zhǒng
几										jǐ
两										liǎng
个										gè
杂										zá
志										zhì
桌										zhuō
子										zi
柜										guì
本										běn
床										chuáng
张										zhāng

mixed varied miscellaneous. magazine

table, desk

第十课 Lesson 10

一、描写 **Trace the following characters:**

去	一	十	土	去	去			
首	丶	丷	丷	丷	产	产	首	首
都	一	十	土	耂	耂	者	者	都
剧	尸	尸	尸	居	居	剧		
场	一	十	圡	圩	场	场		
北	丨	十	扌	北	北			
京	丶	亠	宀	宁	宁	京	京	
再	一	厂	厅	丏	再	再		
见	丨	冂	贝	见				
乐	一	二	牙	牙	乐			
厅	一	厂	厂	厅				
听	丶	丷	口	听	听	听	听	

228

二、临写 Copy the following characters：

去	qù
首	shǒu
都	dū
剧	jù
场	chǎng
北	běi
京	jīng
再	zài
见	jiàn
乐	yuè
厅	tīng
听	tīng

head, leader
first
captical

drama, play
theatre
place where
people gather

第十一课　Lesson 11

一、描写 Trace the following characters：

住	丿	亻	亻	仁	住	住	住	
在	一	ナ	才	左	在	在		
房	丶	冫	冖	户	户	户	房	房
间	丶	冂	门	问	问	间	间	
还	一	丆	不	不	不	还	还	
楼	木	木	栏	栏	栏	栏	楼	楼
号	丶	口	口	旦	号			
多	丿	夕	夕	多	多	多		
少	丨	小	小	少				
话	丶	讠	订	订	讠	话	话	话
码	一	丆	石	石	石	码	码	码

230

二、临写 Copy the following characters:

住											zhù	live
在											zài	
房											fáng	room
间											jiān	
还											hái	
楼											lóu	building (more than 1 storey)
号											hào	
多											duō	
少											shǎo	
话											huà	
码											mǎ	

第十二课 Lesson 12

一、描写 Trace the following characters:

请	丶	讠	讠	讠	请	请	请	请
进	一	二	丰	井	讲	进		
坐	人	人	从	从	丛	坐		
叫	丶	口	口	叫	叫			
名	丿	夕	夕	夕	名	名		
字	丶	宀	宀	宁	宁	字		
贵	丶	口	口	中	虫	贵	贵	贵
姓	乚	女	女	女	如	姓	姓	姓
喝	丨	口	口	吗	吗	喝	喝	喝
茶	一	十	艹	艾	苁	苶	茶	茶
客	丶	宀	宀	宀	岁	安	客	客
气	丿	气	气	气				

232

二、临写 **Copy the following characters:**

请												qǐng	please
进												jìn	enter
坐												zuò	sit
叫												jiào	call
名												míng	name
字												zì	
贵												guì	honorable expensive
姓												xìng	surname
喝												hē	drink
茶												chá	tea
客												kè	guest. polite
气												qì	

第十三课　Lesson 13

一、描写 **Trace the following characters:**

新	亠	立	辛	辛	亲	新	新	新	新
会	人	人	人	会	会	会			
语	丶	讠	讠	订	语	语	语	语	语
可	一	丁	丙	口	可				
以	丶	以	以	以					
说	讠	讠	讠	说	说	说	说		
同	丨	冂	冂	同	同	同			
学	丶	丷	丷	丷	学	学	学		
点	丨	上	上	占	占	点	点	点	点
国	丨	冂	冃	冃	用	国	国	国	
习	刁	习	习						
生	丿	仁	牛	牛	生				
回	丨	冂	囗	回	回	回			

234

二、临写 Copy the following characters:

新											xīn	new
会											huì	meeting
语											yǔ	
可											kě	can
以											yǐ	
说											shuō	speak
同											tóng	same, together, with
学											xué	class mate
点											diǎn	dot mark choose
国											guó	
习											xí	
生											shēng	
回											huí	return answer

第十四课　Lesson 14

一、描写 **Trace the following characters：**

边	フ	カ	办	边	边			
东	一	七	东	东	东			
西	一	冂	冃	丙	西	西		
南	一	十	忄	内	内	南	南	南
前	丶	丷	䒑	前	前	前		
后	丿	厂	后	后				
左	一	𠂇	左	左	左			
右	一	𠂇	右	右	右			
邮	丶	冂	日	由	由	邮	邮	
局	フ	コ	尸	局	局	局	局	
小	亅	小	小					
卖	一	十	土	吉	吉	壶	卖	卖
部	丶	二	亠	立	立	音	音	部
外	丿	夕	夕	外	外			

236

二、临写 Copy the following characters:

边											biān
东											dōng
西											xī
南											nán
前											qián
后											hòu
左											zuǒ
右											yòu
邮											yóu
局											jú
小											xiǎo
卖											mài
部											bù
外											wài

sell

part, area.
m.w. books, _____

outside

第十五课　Lesson 15

一、描写 **Trace the following characters:**

等	ﾉ	ﾉ	ﾉ	竹	竺	竺	笙	笙	等
汽	丶	氵	氵	氿	汽	汽	汽		
车	一	士	车	车					
作	ﾉ	亻	亻	亻	作	作	作		
系	ﾉ	幺	幺	幺	系	系	系		
历	一	厂	厉	历					
史	丶	口	口	史	史				
哲	一	扌	扩	扩	折	折	折	哲	哲
经	乡	幺	幺	纟	纽	纪	纾	经	
济	丶	冫	氵	氵	汇	泸	泣	济	济
认	丶	讠	讠	认					
识	丶	讠	讠	识	识	识	识		
来	一	一	丷	立	平	来	来		
了	ﾏ	了							

吧	丶	㇆	ㅁ	ㅁㅓ	ㅁㅓ	ㅁㅓ	吧		

二、临写 Copy the following characters:

等												děng	wait, grade
汽												qì	
车												chē	
作												zuò	to make
系												xì	department
历												lì	} history
史												shǐ	
哲												zhé	zhé xué philosophy
经												jīng	manage
济												jì	crowd.
认												rèn	
识												shí	
来												lái	
了												le	
吧												ba	

239

第十六课　Lesson 16

一、描写 **Trace the following characters:**

今	丿	人	仒	今				
天	一	二	于	天				
月	丿	刀	月	月				
日	丨	冂	日	日				
星	丶	口	曰	日	旦	旵	旵	星	星
期	一	十	艹	甘	甘	其	其	其	期
昨	丨	冂	日	日	旷	昨	昨	昨	昨
明	丨	冂	日	日	旳	明	明	明
球	一	二	于	王	玗	玬	球	球
场	一	土	圬	场	场			
际	阝	阝	阝	阝	阡	际	际	
俱	丿	亻	仍	但	但	俱	俱	俱	俱
体	丿	亻	仁	什	付	休	体	
育	丶	亠	云	云	产	育	育	育	

240

赛	、	丷	宀	宀	宀	宷	宷	宷
	寀	寀	寨	赛	赛			

二、临写 **Copy the following characters:**

今									jīn
天									tiān
月									yuè
日									rì
星									xīng
期									qī
昨									zuó
明									míng
球									qiú
场									chǎng
际									jì
俱									jù
体									tǐ
育									yù
赛									sài

第十七课　Lesson 17

一、描写 **Trace the following characters：**

下	一	丁	下					
时	丨	刂	日	日	日一	时	时	
候	亻	亻	仁	仵	伫	俟	侯	候
毕	一	上	比	比	比	毕		
业	丨	刂	业	业	业			
谊	丶	讠	讠	讠	讶	诒	谊	谊
医	一	丆	匞	三	至	安	医	
老	一	十	土	耂	耂	老		
师	丨	刂	卩	师	师	师		
运	一	二	云	云	运	运	运	
动	一	二	云	云	云	动		
长	一	二	长	长				
城	一	十	土	圤	圻	坊	城	城	城
很	彳	彳	彳	彴	徂	很		

242

二、临写 Copy the following characters：

下												xià
时												shí
候												hòu
毕												bì
业												yè
谊												yì
医												yī
老												lǎo
师												shī
运												yùn
动												dòng
长												cháng
城												chéng
很												hěn

第十八课　Lesson 18

一、描写 Trace the following characters：

现	一	二	干	王	玗	珋	玥	现
分	八	八	分	分				
刻	、	亠	亥	亥	亥	亥	刻	
差	、	⺀	兰	兰	羊	差	差	差
半	、	⺀	兰	半				
起	土	丰	走	走	走	起	起	起
早	、	口	曰	日	旦	早		
午	丿	气	二	午				
晚	日	旷	旷	旷	映	映	晔	晚
睡	日	旷	盰	盰	脺	睡	睡	睡
觉	、	⺌	⺍	⺍	兴	学	觉	觉
吃	口	口	吃	吃				
饭	丿	人	仒	仒	饣	饭	饭	
课	、	讠	讠	评	评	评	课	课

244

二、临写 Copy the following characters：

现										xiàn
分										fēn
刻										kè
差										chà
半										bàn
起										qǐ
早										zǎo
午										wǔ
晚										wǎn
睡										shuì
觉										jiào
吃										chī
饭										fàn
课										kè

第十九课　Lesson 19

一、描写 Trace the following characters：

笔	ノ	^	^	竺	竺	竺	竺	笔
铅	ノ	^	上	钅	钅	钅	钊	铅
钢	钅	钊	钉	钢	钢			
圆	丨	冂	冂	冋	冋	同	圆	圆
珠	王	王	王	珒	珒	珠	珠	
钱	钅	钅	钅	钱	钱	钱		
支	一	十	支	支				
共	一	十	廿	共	共	共		
元	一	二	亓	元				
角	ノ	夕	户	角	角	角	角	
别	口	号	另	别	别			
块	土	圠	圠	块	块			
毛	一	二	三	毛				
找	一	十	扌	扌	扚	找	找	

246

怎	ノ	⺅	乍	乍	乍	作	怎	怎	怎
样	一	十	才	木	栏	栏	栏	栏	样

二、临写 Copy the following characters：

笔										bǐ
铅										qiān
钢										gāng
圆										yuán
珠										zhū
钱										qián
支										zhī
共										gòng
元										yuán
角										jiǎo
别										bié
块										kuài
毛										máo
找										zhǎo

| 怎 | | | | | | | | | | | zěn |
| 样 | | | | | | | | | | | yàng |

第二十课　Lesson 20

一、描写 Trace the following characters：

寄	丶	八	宀	宷	宝	宮	寄	
信	丿	亻	仁	仨	信	信	信	信
航	丶	丿	力	力	舟	舟	舟'	舟'	航
空	丶	八	宀	宀	穴	空	空	空
平	一	丷	二	平	平			
封	一	十	土	圭	圭	圭	封	封
纪	乚	纟	纟	纪	纪	纪		
念	丿	人	个	今	今	念	念	
票	一	一	一	西	西	西	票	票	票
套	大	太	本	本	套	套	套	套
箱	竹	竺	竿	笁	笭	箱	箱	箱	箱
里	丶	口	日	日	旦	里	里	
旁	丶	丶	亠	产	产	空	旁	旁
谢	讠	讠	讠	讱	讱	讱	讱	谢	谢

二、临写 Copy the following characters：

寄											jì
信											xìn
航											háng
空											kōng
平											píng
封											fēng
纪											jì
念											niàn
票											piào
套											tào
箱											xiāng
里											lǐ
旁											páng
谢											xiè

第二十一课 Lesson 21

一、描写 **Trace the following characters:**

换	扌	扌	扩	护	护	换	换	
币	一	广	厅	币				
牌	丿	丿	广	片	片	片	牌	牌	牌
	牌	牌	牌					
万	一	丁	万					
千	丿	二	千					
百	一	丁	丆	万	百	百		
价	丿	亻	价	价	价	价		
填	土	圹	圹	圹	坊	埴	填	填
表	一	=	圭	主	耒	表	表	表
数	米	娄	数	数	数	数		
银	钅	钅	钌	钌	铒	银	银	
行	丿	彳	彳	彳	行	行		
民	一	乛	尸	民	民	民		

二、临写 Copy the following characters：

换										huàn
币										bì
牌										pái
万										wàn
千										qiān
百										bǎi
价										jià
填										tián
表										biǎo
数										shǔ
银										yín
行										háng
民										mín

第二十二课 Lesson 22

一、描写 Trace the following characters:

叔	丨	卜	上	扌	朮	村	叔	
阿	乛	阝	阝一	阿	阿			
姨	乚	女	女	妒	妒	娾	姨	姨
岁	丨	山	山	少	岁	岁		
真	一	十	广	卢	直	直	真	真
高	丶	一	古	卢	高	高		
胖	月	月	肝	肝	胖	胖		
王	一	二	于	王				
重	一	二	亡	亡	亩	亩	重	重
公	丿	八	公	公				
斤	一	厂	斤	斤				
先	丿	一	十	生	步	先		
猜	丿	犭	犭	犭	犭	狳	猜	猜	猜
米	丷	半	半	米				

253

二、临写 Copy the following characters:

叔										shū
阿										ā
姨										yí
岁										suì
真										zhēn
高										gāo
胖										pàng
王										wáng
重										zhòng
公										gōng
斤										jīn
先										xiān
猜										cāi
米										mǐ

第二十三课　Lesson 23

一、描写 Trace the following characters:

哈	口	叮	吟	吟	哈	哈	哈	
笑	′	^	℀	℀	℀	竺	竺	笑
孩	了	孑	孒	孖	孩	孩	孩	
对	フ	又	又	对	对			
应	丶	亠	广	广	庀	应	应	
该	讠	讠	讠	讠	该	该	该	
呢	口	叮	叮	昵	昵	呢		
或	一	匚	叵	叵	豆	武	或	或
者	一	十	土	耂	耂	者	者	者
轻	一	土	车	车	轫	轫	轫	轫	轻
女	乀	夂	女					
龄	丨	丅	止	止	齿	齿	齿	龄	龄
	龄							
般	舟	舟	般					

255

休	亻	仁	什	什	休			
息	亻	竹	白	自	自	自	息	息	息

二、临写 Copy the following characters:

哈										hā
笑										xiào
孩										hái
对										duì
应										yīng
该										gāi
呢										ne
或										huò
者										zhě
轻										qīng
女										nǚ
龄										líng
般										bān
休										xiū
息										xī

256

第二十四课　Lesson 24

一、描写 Trace the following characters:

广	丶	亠	广					
播	扌	扩	扩	扩	护	採	播	
刚	丨	冂	冈	冈	刚	刚		
才	一	十	才					
打	扌	扛	打					
复	丿	𠂉	白	自	复	复		
汉	氵	汀	汉					
考	土	耂	考	考				
试	讠	计	计	讦	讧	试	试	
写	丶	冖	冖	写	写			
准	冫	冫	汁	汁	汁	汻	准	准
备	丿	夂	夂	夂	各	各	备	备
第	𥫗	竺	竺	笃	筜	第		
节	一	艹	艹	芍	节			

257

二、临写 Copy the following characters：

广											guǎng
播											bō
刚											gāng
才											cái
打											dǎ
复											fù
汉											hàn
考											kǎo
试											shì
写											xiě
准											zhǔn
备											bèi
第											dì
节											jié

第二十五课　Lesson 25

一、描写 **Trace the following characters:**

互	一	工	万	互				
帮	一	二	三	丰	邦	邦	帮	帮
完	、	八	宀	宀	宁	宁	完	
到	一	工	云	歪	至	至	到	到
问	、	亻	门	问				
题	日	早	早	是	是	是	题	题	题
助	丨	刂	月	月	且	即	助	
意	立	音	音	意	意	意		
思	、	口	口	田	田	思	思	思
页	一	丆	厂	页	页	页		
用	丿	冂	月	月	用			
告	丿	二	屮	生	告			
诉	讠	讠	讠	诉	诉	诉		
懂	、	忄	忄	忄	忰	憧	憧	懂	懂

259

架	力	加	加	架	架	架			

二、临写 Copy the following characters:

互										hù
帮										bāng
完										wán
到										dào
问										wèn
题										tí
助										zhù
意										yì
思										sī
页										yè
用										yòng
告										gào
诉										sù
懂										dǒng
架										jià

第二十六课　Lesson 26

一、描写 Trace the following characters:

和	丿	二	千	禾	禾	和		
整	口	申	束	敕	敕	敕	敕	整
洁	氵	汇	汁	洁	洁			
干	一	二	干					
净	氵	沪	冷	冷	冷	净		
脏	月	朋	旷	胪	脏	脏		
土	一	十	土					
被	丶	㇇	衤	衤	衤	衤	衤	被
枕	木	木	朳	材	枕			
头	丶	丷	头	头	头			
衣	丶	二	广	衣	衣	衣		
服	月	肝	肥	服	服			
双	又	又	对	双				
鞋	一	廿	廿	苴	莒	革	鞞	鞋

只	口	尸	只					
爱	丶	丷	⺌	⻍	严	严	爭	爱

二、临写 Copy the following characters：

和											hé
整											zhěng
洁											jié
干											gān
净											jìng
脏											zāng
土											tǔ
被											bèi
枕											zhěn
头											tóu
衣											yī
服											fú
双											shuāng
鞋											xié

只											zhī
爱											ài

263

第二十七课　Lesson 27

一、描写 **Trace the following characters:**

介	人	个	介					
绍	乚	纟	纟	纠	纲	绍		
放	方	扩	扩	放	放			
答	竺	竻	竺	筌	答			
班	王	玉	玎	班				
关	丶	丷	业	兰	羊	关		
咖	口	叮	叻	咖				
啡	口	叫	吼	叫	叫	啡	啡	啡
牛	丿	仁	二	牛				
奶	乚	乆	女	奶	奶			
啤	口	叭	叭	咆	咆	啤	啤	啤
酒	氵	汇	沂	沂	洒	洒	酒	酒
皮	一	厂	皮	皮	皮			
件	亻	仁	件	作	件			

264

| 衬 | ㇋ | ㇇ | 衤 | 衤 | 衬 | 衬 | | | |
| 衫 | ㇋ | ㇇ | 衤 | 衫 | 衫 | 衫 | | | |

二、临写 Copy the following characters：

介										jiè
绍										shào
放										fàng
答										dá
班										bān
关										guān
咖										kā
啡										fēi
牛										niú
奶										nǎi
啤										pí
酒										jiǔ
皮										pí
件										jiàn

| 衬 | | | | | | | | | | | | chèn |
| 衫 | | | | | | | | | | | | shān |

第二十八课　Lesson 28

一、描写 **Trace the following characters:**

合	丿	人	人	今	合	合		
适	丿	二	千	舌	舌	舌	活	适
黑	丶	口	口	四	回	里	黒	黑
黄	艹	芹	苦	苫	苗	苗	黄	黄
便	亻	亻	佰	便	便			
宜	宀	宀	宁	宜	宜	宜		
蓝	艹	艹	芷	蓝	蓝	萨	蓝	蓝
短	丿	乁	上	矢	矢	矢	短	短
肥	月	肝	肥	肥	肥			
白	丿	亻	白	白	白			
瘦	广	疒	疒	疒	疒	疳	痹	瘦
红	纟	纟	红	红				
颜	立	产	产	彦	彦	彦	颜	颜
色	丿	勹	夕	名	名	色		

267

深	氵	汇	浐	浐	泙	浑	浮	深
浅	氵	汇	汗	浅	浅	浅		

二、临写 **Copy the following characters:**

合										hé
适										shì
黑										hēi
黄										huáng
便										pián
宜										yí
蓝										lán
短										duǎn
肥										féi
白										bái
瘦										shòu
红										hóng
颜										yán
色										sè

| 深 | | | | | | | | | | shēn |
| 浅 | | | | | | | | | | qiǎn |

第二十九课　Lesson 29

一、描写 **Trace the following characters:**

从	丿	人	从	从				
装	丷	丬	壮	壮	壯	丝	装	装
遇	丶	口	日	日	昌	禺	禺	遇
啊	口	呵	呀	啝	啊			
离	丶	文	云	卤	卤	离	离	离
远	二	元	元	远	远			
跟	口	甲	甲	足	趴	跟	跟	跟
近	丿	厂	斤	斤	沂	近	近	
站	亠	立	刘	刘	站			
售	亻	亻	亻	仁	仨	佳	佳	售
员	口	尸	吊	员	员			
往	彳	彳	彳	彴	彳	往	往	
出	㇄	凵	屮	出	出			
比	一	ヒ	ヒ	比				

270

较	一	七	车	车	轩	轩	轩	轩	较
租	丿	二	千	禾	禾	利	和	租	租

二、临写 Copy the following characters：

从									cóng
装									zhuāng
遇									yù
啊									ā
离									lí
远									yuǎn
跟									gēn
近									jìn
站									zhàn
售									shòu
员									yuán
往									wǎng
出									chū
比									bǐ

较											jiào
租											zū

第三十课　Lesson 30

一、描写 Trace the following characters:

谈	讠	讠	订	谈	谈	谈	谈	谈
铁	钅	钅	钅	铗	铁			
挤	扌	抂	挤					
走	土	丰	丰	走	走			
过	一	十	寸	寸	讨	过		
路	口	口	足	足	趵	趵	趵	路
拐	扌	扣	拐	拐				
直	一	十	广	市	古	直	直	直
最	旦	旦	昗	昗	昗	昗	最	最
座	广	广	庐	庐	庶	座	座	座
位	亻	亻	仁	仁	位	位		
快	丶	丬	忄	忄	忄	快	快	
演	氵	沪	沪	沪	浐	演	演	演
送	丶	丷	关	兰	关	关	送	送

马	𠃌	马	马					
开	一	二	于	开				

二、临写 Copy the following characters:

谈											tán
铁											tiě
挤											jǐ
走											zǒu
过											guò
路											lù
拐											guǎi
直											zhí
最											zuì
座											zuò
位											wèi
快											kuài
演											yǎn
送											sòng

274

											mǎ
马											
开											kāi